필수생화학

ESSENTIAL BIOCHEMISTRY

KB152140

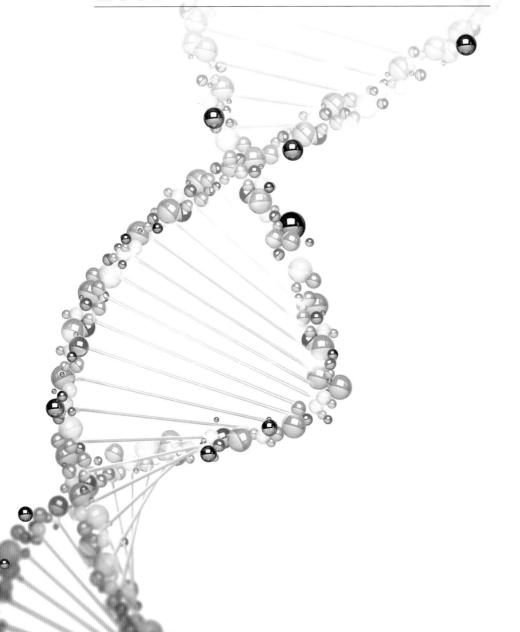

필수생화학

| 첫째판 1쇄 인쇄 | | 2022년 03월 22일 |
| 첫째판 1쇄 발행 | | 2022년 03월 31일 |

지 은 이 김인섭
발 행 인 장주연
출 판 기 획 이성재
출 판 편 집 강미연
편집디자인 양은정
표지디자인 김재욱
일 러 스 트 신윤지
제 작 담 당 이순호
발 행 처 군자출판사(주)
　　　　　등록 제4-139호(1991. 6. 24)
　　　　　본사 (10881) 파주출판단지 경기도 파주시 회동길 338(서패동 474-1)
　　　　　전화 (031) 943-1888　　　팩스 (031) 955-9545
　　　　　홈페이지 | www.koonja.co.kr

ISBN 979-11-5955-860-3

정가 25,000원

머리말

저자는 서울의대를 졸업하고 현직에서 의사로 근무하고 있습니다. 그러면서, 화학을 강의하고 있습니다. 의대 선배로서 경험을 살려, 본1 생화학 공부에 도움이 되고자 적합한 핵심 주제들을 추려 생화학 책을 출간하게 되었습니다. 이제, 본1 생화학 공부는 필수생화학으로 수월하게 고득점하세요. 의대 내신은 본1/본2에서 결판납니다. 의대 내신의 출발은 김인섭 필수생화학과 함께하세요. 필수생화학이 시간이 소중한 의대생 여러분에 큰 도움이 되기를 바랍니다.

네이버 카페 메디프리뷰 [본과선행] 게시판에 별도의 게시판을 만들었습니다.

https://cafe.naver.com/medipreview/3292?boardType=L

– 책에 대한 질문, 생화학 공부질문
– 책의 정오표 함께 운영

약력

김인섭

국제화학올림피아드

서울의대 졸업

삼성서울병원 가정의학과 수료

대치동 학원 강사 – 고등 및 중등 화학올림피아드, AP chemistry

메디프리뷰 강사 – 생화학

저서: 7차 교육과정 숨마쿰라우데 고등과학, 화학1, 화학2

목 차

생화학의 기초

1. 생화학이란 무엇인가?

생화학이 무엇이며, 생화학에서 다루어지는 주제들에 대해 살펴본다.

1) 생물학? 화학?
- 생명체 내에서 일어나는 모든 화학 반응을 대상으로 함
- 생명 현상을 화학적으로 접근

2) 생화학에서 다루어지는 주제들
(1) 단백질
- 아미노산과 단백질의 구조
- 단백질의 기능
- 효소
- 아미노산 대사

(2) 탄수화물
- 탄수화물의 구조
- 탄수화물의 대사

(3) 지질
- 지질의 구조
- 세포막

• 지질의 대사

(4) 핵산
• DNA, RNA의 구조
• 핵산 대사
• 유전 정보의 흐름

2. 기초 일반화학

생화학 공부에 필요한 일반화학 내용을 간략하게 복습한다.

1) 원소의 주기율표

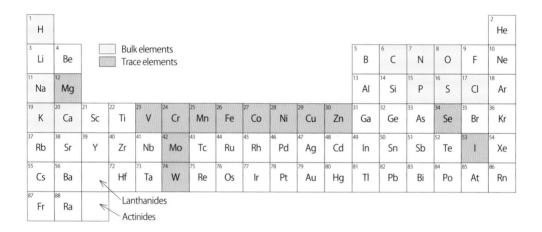

2) 화학결합
(1) 이온 결합
• 양이온과 음이온 간의 결합

(2) 공유 결합
• 비금속 원소 간의 화학결합

(3) 극성(polarity)
• 전자 밀도의 비대칭
• Like dissolves like

극성 용매는 극성 용질을
잘 녹이고, 무극성 용매는
무극성 용질을 잘 녹임

(4) 분자간 인력(분자간 힘)

- 쌍극자-쌍극자 힘
  - 극성 분자간의 인력
- 쌍극자-유발쌍극자 힘
- 분산력(London 힘, London 분산력)
  - 주로 무극성 분자들 사이에 작용하는 분자간 인력
- 수소결합
  - O나 N에 결합되어 있는 H가 O나 N과 형성하는 강한 분자간 인력

3) 탄소화합물

(1) 탄소화합물

- 주요 구성 원소: C, H, O, N, S, P
- 탄소를 기본 골격으로 함

(2) 작용기

- 분자 내에 존재하는 특정한 원자들을 group
- 탄소화합물의 성질을 결정
- 주요 작용기들

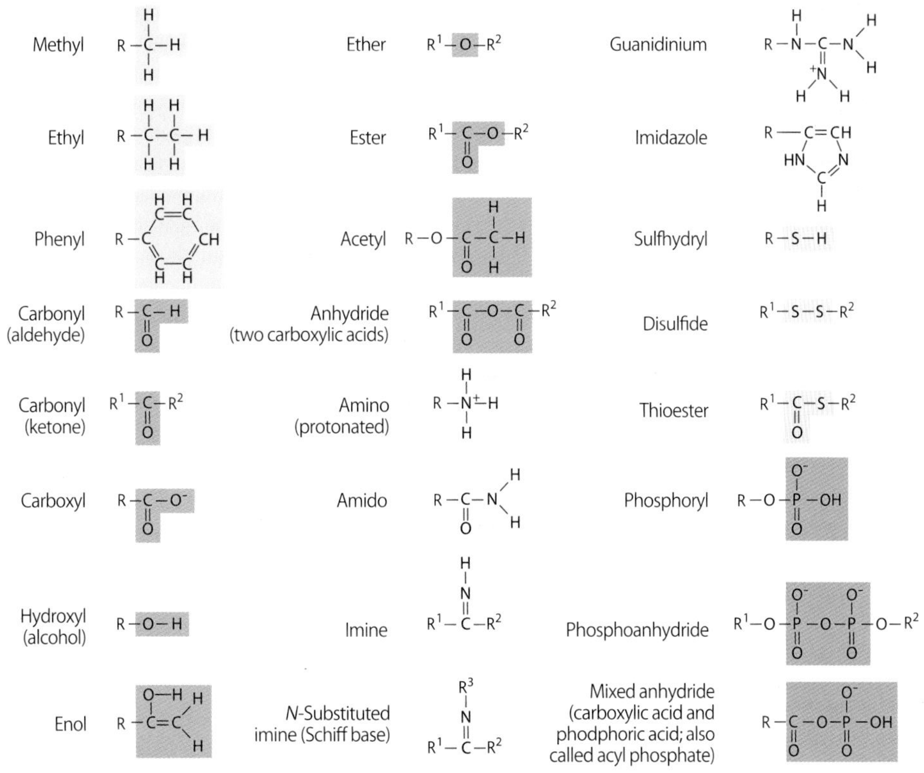

(3) 이성질체

- 화학식은 같지만 다른 물질인 관계
- 거울상 이성질체(enantiomer)
  - 탄소가 4가지 다른 group과 결합하고 있을 때 존재 가능

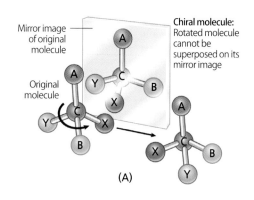
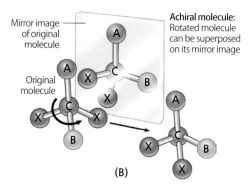

(4) 생화학에서 다루어지는 탄소화합물

- 탄수화물: 주요 에너지원
- 지질: 에너지의 저장
- 단백질: 기능
- 핵산: 유전정보의 저장, 전달

4) 기초 열역학

(1) 열역학의 법칙들

- 0법칙: A와 B가 열적 평형에 있고, B와 C가 열적 평형에 있으면 A
         와 C도 열적 평형에 있다.
- 1법칙: 우주의 에너지는 일정하게 유지된다.
- 2법칙: 우주의 엔트로피는 증가한다.
- 3법칙: 온도가 0K에 수렴하면, 물질의 엔트로피도 0에 수렴한다.

(2) 변화 과정의 자발성

- 우주의 엔트로피 변화의 부호를 통해 변화 과정의 자발성 여부를 판단
  - $\triangle S_{우주} > 0$: 자발적 과정
  - $\triangle S_{우주} = 0$: 가역과정(평형)
  - $\triangle S_{우주} < 0$: 불가능

(3) Gibbs 자유 에너지

- $\Delta G = \Delta H - T\Delta S$
  - $\Delta G < 0$: 자발적 과정
  - $\Delta G = 0$: 가역과정(평형)
  - $\Delta G > 0$: 비자발적 과정

5) 평형
(1) 화학 평형

- $a\text{A} + b\text{B} \rightleftarrows c\text{C} + d\text{D}$

  - 평형 상수, $K = \dfrac{[\text{C}]^c\,[\text{D}]^d}{[\text{A}]^a\,[\text{B}]^b}$

  - $\Delta G = \Delta G^\circ + RT\ln Q$

(2) 산-염기 평형

- 산-염기의 정의
  - 산: H^+ 주는 물질(proton donor)
  - 염기: H^+ 받는 물질(proton acceptor)
- 산-염기 이온화 평형
  - $\text{HA} \rightleftarrows \text{H}^+ + \text{A}^-$

    $K_a = \dfrac{[\text{H}^+][\text{A}^-]}{[\text{HA}]}$, $pK_a = -\log K_a$

    $p\text{H} = -\log[\text{H}^+]$
- 완충 용액
  - 산 또는 염기가 소량 유입되더라도 pH 변화가 거의 없는 용액
  - 약산(HA)과 그 짝염기(A^-)를 혼합하여 제조

  Henderson–Hasselbalch equation은 생화학 뿐만 아니라 생리학 및 호흡기학, 신장학의 산-염기 불균형을 이해하는 기초가 된다.

  - 완충용액의 pH ⇒ Henderson – Hasselbalch equation을 통해 계산

    $p\text{H} = pK_a + \log\dfrac{[\text{A}^-]}{[\text{HA}]}$
- 인체 내에서의 완충용액

  pKa만 고려하면 $H_2PO_4^-$/HPO_4^{2-}가 H_2CO_3/HCO_3^- 보다 더 좋은 완충용액이 될 것 같지만, H_2CO_3/HCO_3^-는 호흡을 통해 CO_2의 양을 조절할 수 있어, 실제로 인체에서 더 중요한 완충용액은 H_2CO_3/HCO_3^- 이다.

  - $\text{H}_2\text{PO}_4^-/\text{HPO}_4^{2-}$ ($pK_a = 7.21$)

    $\text{H}_2\text{PO}_4^- \rightleftarrows \text{H}^+ + \text{HPO}_4^{2-}$
  - $\text{H}_2\text{CO}_3/\text{HCO}_3^-$ ($pK_a = 6.37$)

    $\text{H}_2\text{O} + \text{CO}_2 \rightleftarrows \text{H}_2\text{CO}_3 \rightleftarrows \text{H}^+ + \text{HCO}_3^-$

• 약산을 강염기로 적정할 때의 적정곡선

   – 당량점: 반응이 완결되는 지점

   – 반당량점: 당량점의 절반

   – 반당량점에서의 pH = 산의 pKa

뒤에 나올 아미노산의 적
정곡선을 이해하는 데 필
요하다.

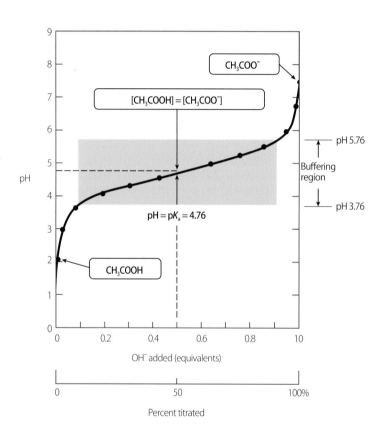

6) 반응 속도

(1) 반응속도식

• ex) A + B → P

   – $v = k[A]^m[B]^n$

A에 대한 m차 반응, B에
대한 n차 반응이라고 하며,
반응속도식은 실험을 통해
찾아내게 된다.

(2) 반응 메커니즘과 반응 속도

• 반응 메커니즘: 반응이 진행되는 일련의 단계

• 단일 단계 반응: 반응 메커니즘을 구성하는 각 단계

• 반응 중간체(중간 생성물): 메커니즘에서 일시적으로 생성되었다가
  소모되는 물질

• 속도 결정 단계(rate determining step)

속도 조절(제한) 단계(rate limiting step)라고도 한다. - 특히 생화학에서

– 반응 메커니즘에서 가장 느린 단계

– 전체 반응 속도를 결정

뒤에 나올 효소 반응속도론의 Michaelis-Menten 메커니즘을 유도하는데 사용되는 개념이다.

(3) 반응 메커니즘과 반응 속도식

• ex) $2NO_2 + O_2 \longrightarrow 2NO_2$

step 1: $NO + NO \underset{k_{-1}}{\overset{k_1}{\longrightarrow}} N_2O_2$ (빠른 평형)

step 2: $N_2O_2 + O_2 \overset{k_2}{\rightleftharpoons} 2NO_2$ (느림)

반응 속도식에 반응 중간체는 포함시키지 않으므로, 속도 결정 단계의 앞 단계들이 평형에 도달해 있다고 가정하고, 반응 중간체를 소거시킨다.

$\upsilon = k_2[N_2O_2][O_2]$

사전 평형 근사 적용

$k_1[NO]^2 = k_{-1}[N_2O_2]$

$\therefore \upsilon = k_2 \dfrac{k_1}{k_{-1}} [NO]^2[O_2]$

아미노산과 단백질

1. 아미노산

단백질을 구성하는 단위체, 아미노산의 구조 및 산-염기로써의 특성을 학습한다.

1) 아미노산의 구조와 분류
(1) 아미노산의 구조

카복실기의 α-탄소(바로 옆 탄소)에 아미노기가 결합되어 있다는 뜻

- 아미노기($-NH_2$)와 카복실기($-COOH$)를 같이 갖고 있는 물질
- α-아미노산의 기본 구조

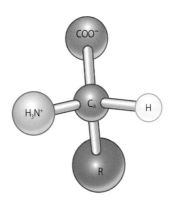

- α-탄소에 4가지 다른 group이 결합되어 있으므로 enantioner(거울상 이성질체) 존재하며, 생명체 내에서는 대부분 L 형태로 존재

(2) 단백질에서 흔히 발견되는 20가지 α-아미노산들

- 실제 아미노산의 종류는 20개 보다 훨씬 많음
- 유전 정보에 coding 되어 있는 아미노산이 20가지임
- R group의 특성에 따라 20가지 아미노산을 4-5 group으로 분류
- 3 letter 또는 1 letter 약어로 나타냄

이름	3 Letter	1 Letter	이름	3 Letter	1 Letter
Alanine	Ala	A	Leucine	Leu	L
Arginine	Arg	R	**Lysine**	**Lys**	**K**
Asparagine	Asn	N	Methionine	Met	M
Aspartate	**Asp**	**D**	Phenylalanine	Phe	F
Cystein	Cys	C	Proline	Pro	P
Glycine	Gly	G	Serine	Ser	S
Glutamine	**Gln**	**Q**	Threonine	Thr	T
Glutamate	**Glu**	**E**	Tryptophan	Trp	W
Histidine	His	H	Tyrosine	Tyr	Y
Isoleucine	Ile	I	Valine	Val	V
Asp or Asn	Asx	B	Glu or Gln	Glx	Z

(3) 비극성 R (nonpolar)

Nonpolar R groups

Glycine Alanine Proline Valine

Leucine Isoleucine Methionine Phenylalanine Tryptophan

- Gly
  - R-group이 H로 enantiomer(거울상 이성질체)를 갖지 않음
  - α-helix 형성을 방해하는 아미노산
  - β-turn에서 잘 발견됨
- Pro
  - ring 구조
  - α-helix 형성을 방해하는 아미노산
  - β-turn에서 잘 발견됨
- Met
  - 유전 정보로부터 단백질 합성이 진행될 때, 첫 번째 아미노산
  - 'AUG'는 시작 코돈이면서 Met를 coding
- Leu, Ile, Val

KMLE(외과총론)에서도 출제되는 내용
  - 가지친 R group을 가지고 있음 ⇒ BCAA (Branched Chain Amino Acid)
  - 포도당으로 변환 없이 에너지원으로 즉시 이용 가능
  - 패혈증, 간기능 저하 시 이용 증가
  - 농도 증가 시 근육의 단백질 합성 촉진
  - 탄수화물 이용장애가 일어나는 다발성 기관 손상 시 에너지원으로 쓰임

(4) 극성 비전하 R (polar uncharged)

Polar, uncharged R groups

Serine   Threonine   Cysteine

Asparagine   Glutamine   Tyrosine

• Cys

‒ 2개의 Cys 사이에 이황화 결합 형성 가능

‒ 이황화 결합: 입체구조 형성에 기여함

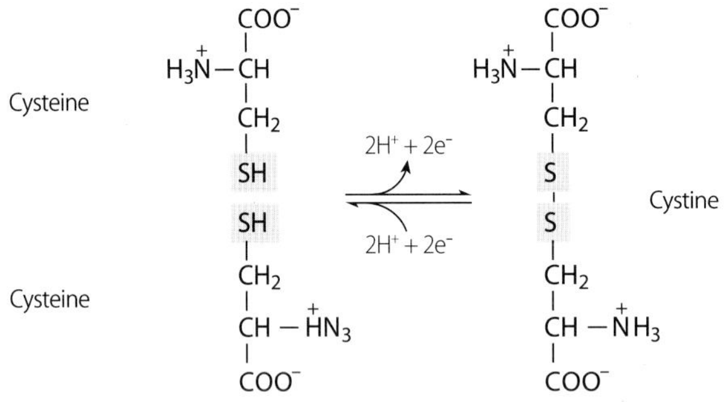

• Ser, Thr, Tyr

‒ OH를 가지고 있는 아미노산

‒ OH에 인산(PO_4^{3-})이 결합

인산이 결합되면 전기적으로 중성이던 부분이 (−)가 됨 ⇒ 입체구조의 변화

⇒ 단백질 기능의 변화

효소 활성의 조절 및 세포 신호 전달과 관련됨

(5) 양전하(염기성) R (positively charged (basic))

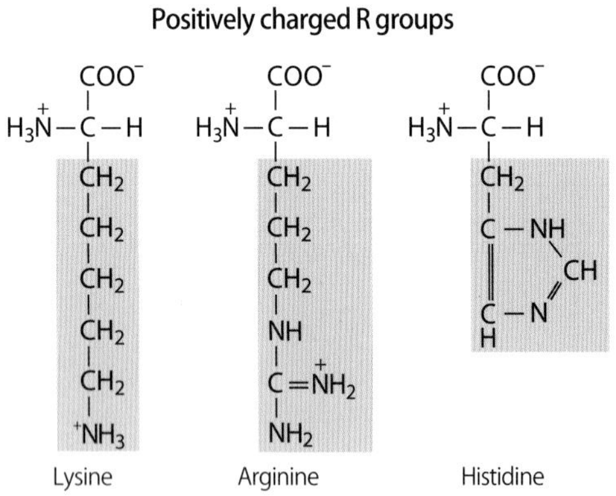

(6) 음전하(산성) R (negatively charged (acidic))

Negatively charged R groups

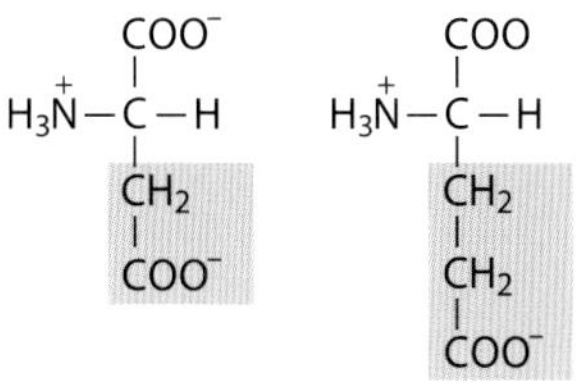

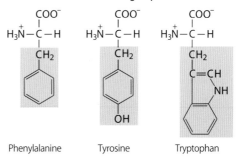

Aspartate Glutamate

(7) 방향족 R (aromatic)

Beer-Lambert 법칙
$A=\varepsilon lc$

- 자외선을 흡수함 ⇒ 단백질 정량에 이용

Aromatic R groups

Phenylalanine Tyrosine Tryptophan

(8) 20가지 이외의 아미노산들

- 20가지 아미노산의 변형(post−synthetic modification)

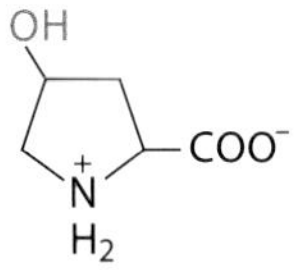

4-Hydroxyproline 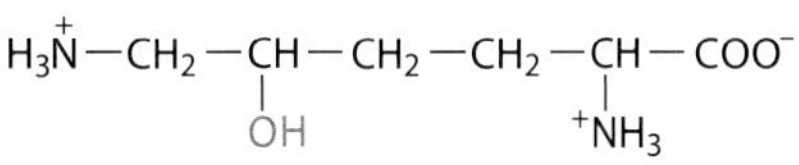 5-Hydroxylysine

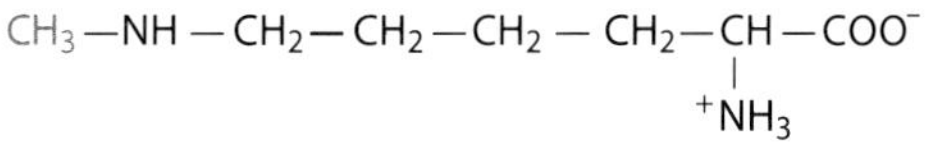

6-*N*-Methyllysine

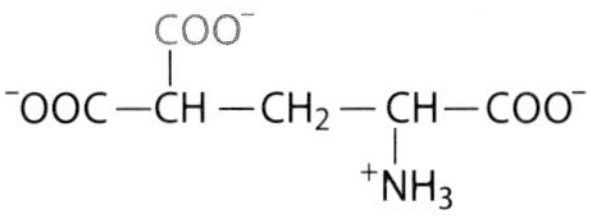

γ-Carboxyglutamate 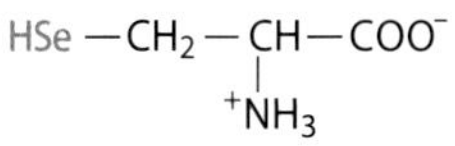 Selenocysteine

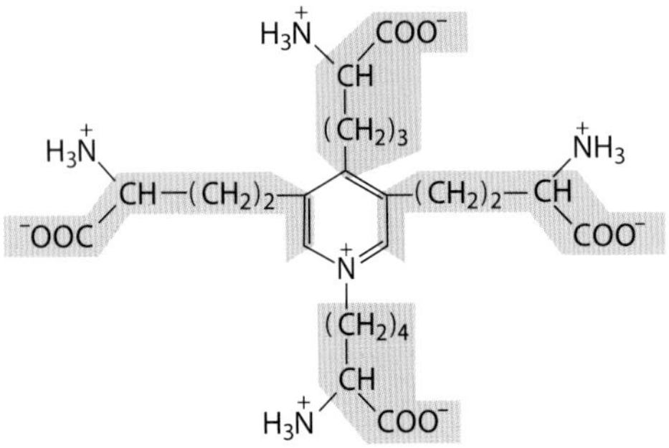

Desmosine

- 단백질 활성 조절과 관련

  - Phosphorylation by protein kinase: Ser/Thr/Tyr

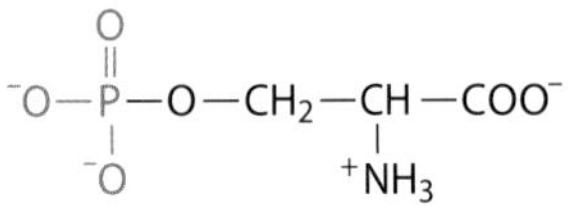

Phosphoserine

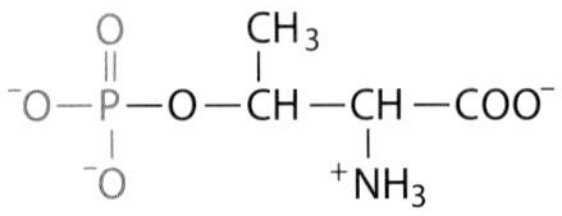

Phosphothreonine

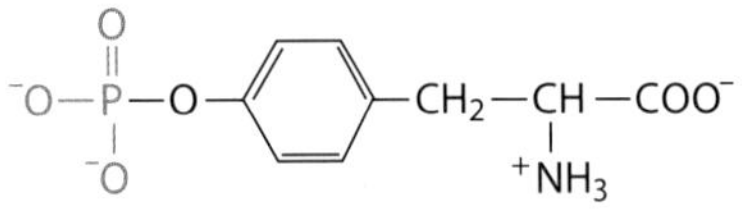

Phosphotyrosine

  - Methylation

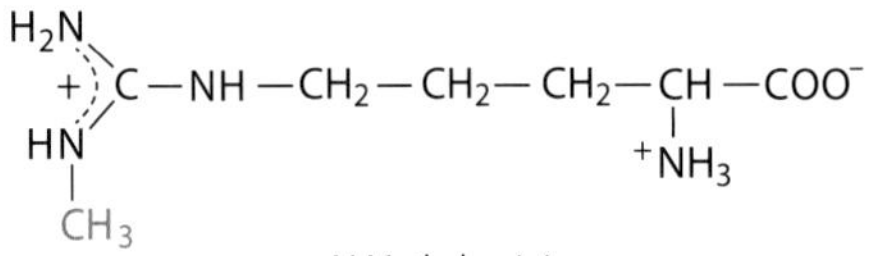

σ-N-Methylarginine

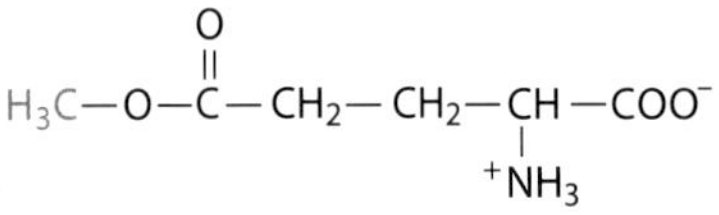

Glutamate-γ-methyl ester

  - Acetylation

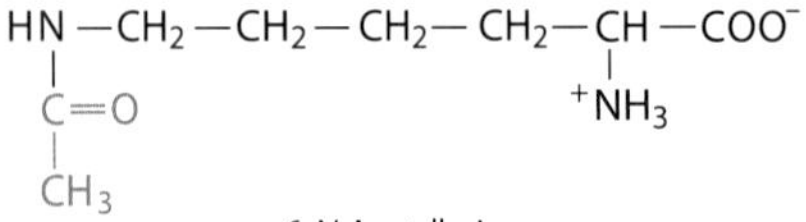

6-N-Acetyllysine

– Adenylation

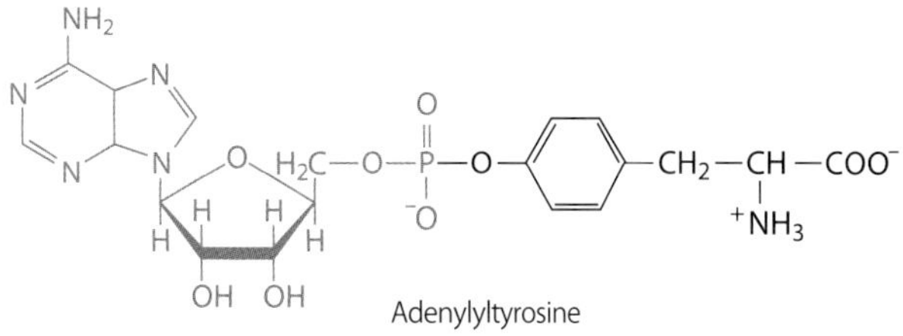

Adenylyltyrosine

- 단백질을 구성하지는 않지만 대사 과정에서 발견되는 아미노산

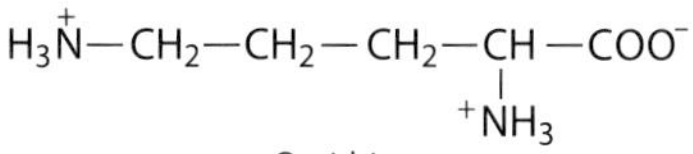

Ornithine

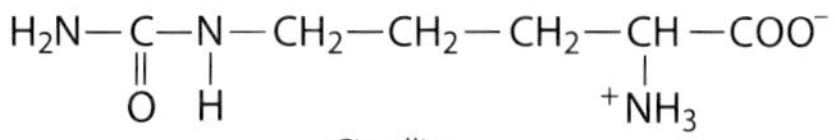

Citrulline

2) 산-염기로써의 아미노산
(1) 양쪽성 이온(쌍극성 이온, zwitterion)
- 수용액에서 nonionic form으로 존재하지 않고, Zwitterionic form
  으로 존재

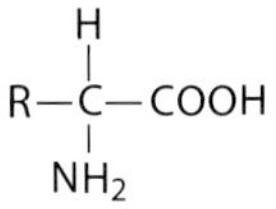

Nonionic form 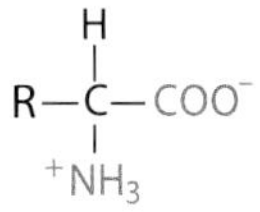   Zwitterionic form

- 산으로 작용하는 zwitterion

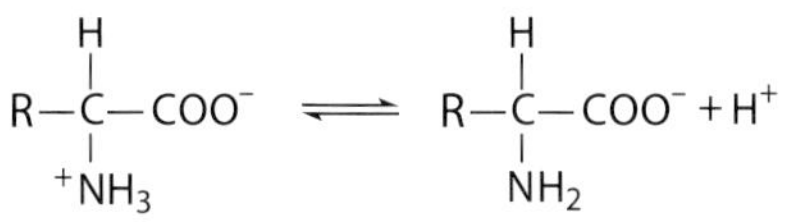

Zwitterion as acid

- 염기로 작용하는 zwitterion

$$R-\underset{\overset{|}{+NH_3}}{\overset{\overset{H}{|}}{C}}-COO^- + H^+ \rightleftharpoons R-\underset{\overset{|}{+NH_3}}{\overset{\overset{H}{|}}{C}}-COOH$$

Zwitterion as base

(2) 용액의 pH에 따른 아미노산의 전하 상태
- pH가 증가함에 따라 알짜 전하가 (+)에서 (−)로 변함

$$R-\underset{\overset{|}{+NH_3}}{\overset{\overset{H}{|}}{C}}-COOH \xrightarrow{\ H^+\ } R-\underset{\overset{|}{+NH_3}}{\overset{\overset{H}{|}}{C}}-COO^- \xrightarrow{\ H^+\ } R-\underset{\overset{|}{NH_2}}{\overset{\overset{H}{|}}{C}}-COO^-$$

Net charge: $+1$ 0 -1

- 등전점(isoelectric point, pI): 알짜 전하(net charge)가 0이 되는 pH

$$pI = \frac{pK_{a1} + pK_{a2}}{2}$$

(3) 아미노산의 적정곡선
- Gly의 적정곡선: 전하를 갖지 않는 아미노산

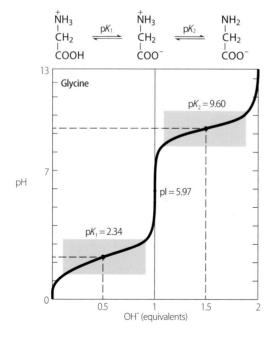

• Glu의 적정곡선: 산성 아미노산 (− 전하)

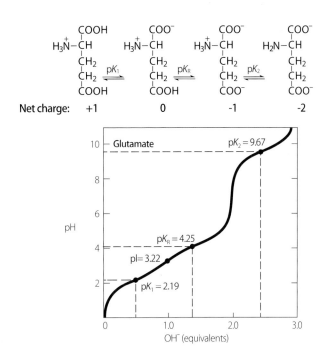

Net charge: +1   0   -1   -2

• His의 적정곡선: 염기성 아미노산 (+ 전하)

2. 펩타이드와 단백질

아미노산이 결합해 형성하는 단백질을 연구하는 방법들을 살펴본다.

1) 펩타이드
(1) 펩타이드
- 아미노산들 사이에서 물이 제거되면서 결합하여 생성된 물질
- 몇 개의 아미노산이 결합했는가에 따라

  ⇒ dipeptide, tripeptide, …, oligopeptide, polypeptide
- 폴리펩타이드 vs 단백질?
  - 폴리펩타이드: 구조에 포커스를 맞춘 용어
  - 단백질: 기능에 포커스를 맞춘 용어

(2) 펩타이드 결합의 형성
- 한 아미노산의 카복실기와 다른 아미노산의 아미노기 사이에서 물이
  빠지면서 결합을 형성함: 탈수축합

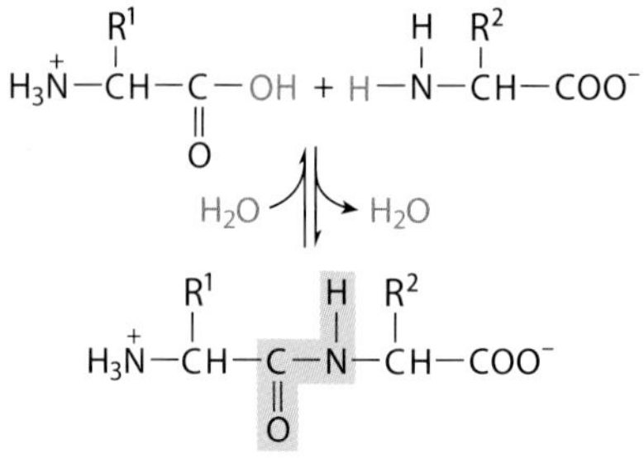

- N-말단(amino 말단): 아미노기를 가지고 있는 말단
- C-말단(carboxyl 말단): 카복실기를 가지고 있는 말단

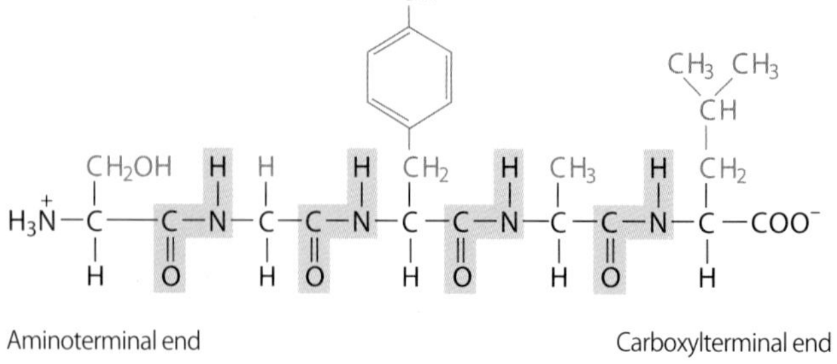

Aminoterminal end   Carboxylterminal end

$\Rightarrow$ N—Ser—Gly—Tyr—Ala—Leu—C

(serylglycyltyrosylalanylleucine, SGYAL)

(3) 펩타이드의 이온화

양 말단과 R group에 있는 아미노기, 카복실기만 이온화 가능

(4) 접합 단백질

- 아미노산 이외의 성분을 포함하는 단백질
- Prosthetic group(보조단): 접합단백질에서 아미노산이 아닌 부분

Class	Prosthetic group	Example
Lipoproteins	Lipids	β_1—Lipoprotein of blood
Glycoproteins	Carbohydrates	Immunoglobulin G
Phosphoproteins	Phosphate groups	Casein of milk
Hemoproteins	Heme (iron porphyrin)	Hemoglobin
Flavoproteins	Flavin nucleotides	Succinate dehydrogenase
Metalloproteins	Iron Zinc Calcium Molybdenum Copper	Ferritin Alcohol dehydrogenase Calmodulin Dinitrogenase Plastocyanin

2) 단백질의 연구
(1) 단백질의 분리와 정제
- 조직의 세포하 분획

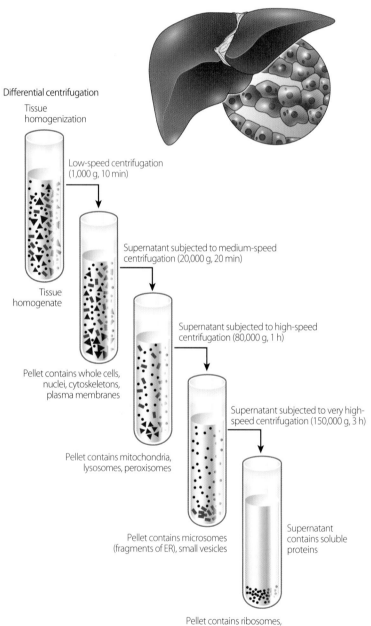

Differential centrifugation

Tissue homogenization

Low-speed centrifugation (1,000 g, 10 min)

Tissue homogenate

Pellet contains whole cells, nuclei, cytoskeletons, plasma membranes

Supernatant subjected to medium-speed centrifugation (20,000 g, 20 min)

Supernatant subjected to high-speed centrifugation (80,000 g, 1 h)

Pellet contains mitochondria, lysosomes, peroxisomes

Supernatant subjected to very high-speed centrifugation (150,000 g, 3 h)

Pellet contains microsomes (fragments of ER), small vesicles

Supernatant contains soluble proteins

Pellet contains ribosomes, large macromolecules

• 투석

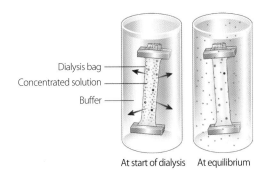

Dialysis bag
Concentrated solution
Buffer

At start of dialysis　At equilibrium

• 크로마토그래피

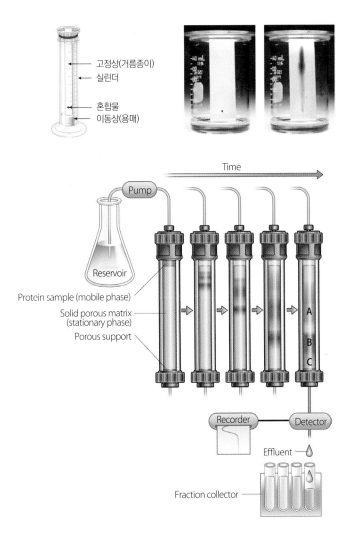

고정상(거름종이)
실린더

혼합물
이동상(용매)

Time

Pump

Reservoir

Protein sample (mobile phase)
Solid porous matrix (stationary phase)
Porous support

A
B
C

Recorder　Detector

Effluent

Fraction collector

• 이온-교환 크로마토그래피

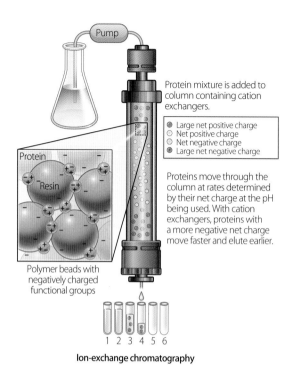

Protein mixture is added to column containing cation exchangers.

- ● Large net positive charge
- ○ Net positive charge
- ◔ Net negative charge
- ● Large net negative charge

Proteins move through the column at rates determined by their net charge at the pH being used. With cation exchangers, proteins with a more negative net charge move faster and elute earlier.

Protein

Resin

Polymer beads with negatively charged functional groups

1 2 3 4 5 6

Ion-exchange chromatography

• 크기-배제 크로마토그래피

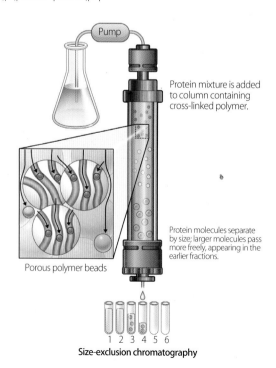

Protein mixture is added to column containing cross-linked polymer.

Protein molecules separate by size; larger molecules pass more freely, appearing in the earlier fractions.

Porous polymer beads

1 2 3 4 5 6

Size-exclusion chromatography

- 친화 크로마토그래피

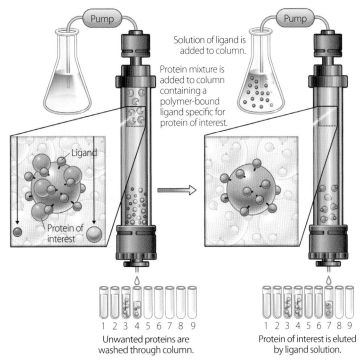

Affinity chromatography

- 가상의 효소에 대한 분리와 정제

Procedure or step	Fraction volume (mL)	Total protein (mg)	Activity (units)	Specific activity (units/mg)
1. Crude cellular extract	1,400	10,000	100,000	10
2. Precipitation with ammonium sulfate	280	3,000	96,000	32
3. Ion−exchange chromatography	90	400	80,000	200
4. Size−exclusion chromatography	80	100	60,000	600
5. Affinity chromatography	6	3	45,000	15,000

– Activity: 용액 중 효소의 총 단위

– Specific activity: 단백질 1 mg당 효소의 단위 수

(2) 전기영동(전기이동, electrophoresis)

⇒ 전기장 내에서 전하를 갖는 단백질의 이동을 통한 분리

- SDS−PAGE (Sodium Dodecyl Sulfate − Poly Acrylamide Gel Electrophoresis)

  ⇒ 분자량에 따른 분리

  > SDS를 이용하여 단백질의 질량에 비례하는 음전하를 갖도록 하고, 단백질의 입체구조를 변성시켜 막대형 구조를 갖게 함 ⇒ 가벼운 폴리펩타이드가 더 빨리 이동하게 되므로 이동한 거리를 통해 분자량 추정 가능

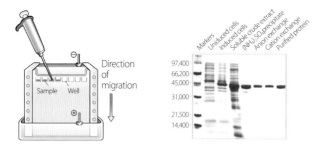

- Western blotting

  SDS−PAGE가 끝난 뒤 분리된 단백질을 membrane에 옮겨 항체와 반응

  ⇒ 원하는 단백질을 확인

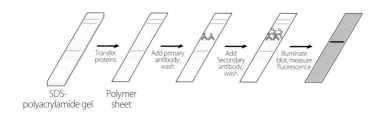

- IEF (IsoElectric Focusing)

  ⇒ 등전점에 따른 분리

  > 연속적으로 pH가 변하는 gel에서 electrophoresis를 하면, 해당 단백질의 등전점(pI)에 해당하는 pH에서 이동을 멈추게 됨

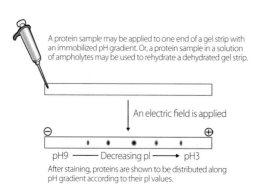

• 2차원 전기영동

IEF를 한 뒤, 90도 각도로 SDS−PAGE

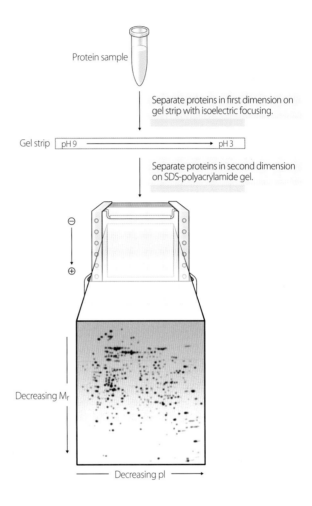

3. 단백질의 구조

단백질 구조의 각 단계별 특징을 학습한다.

1) 단백질 구조의 단계

(1) 1차 구조

- 하나의 폴리펩타이드 사슬에서 아미노산 잔기를 연결하는 모든 공유 결합
  ⇒ 펩타이드 결합, 이황화 결합
- 아미노산 잔기의 서열(sequence)
- 1차 구조가 단백질의 전체 입체 구조를 결정하게 됨

(2) 2차 구조

- 반복된 구조 양상을 보여 주는 독특하게 안정된 아미노산 잔기의 배열
- 예) α-helix, β-sheet, β-turn

(3) 3차 구조

- 하나의 폴리펩타이드가 3차원적으로 접힌 전체 외관
- 3차 구조까지만 갖는 단백질들도 있음(예: myoglobin)

(4) 4차 구조

- 2개 이상의 폴리펩타이드 소단위를 갖는 경우, 그 폴리펩타이드들의 공간적 배열
  예: hemoglobin
- 4차 구조를 갖는 경우, allosteric interaction이 가능해짐 — 폴리펩타이드 소단위 간의 상호작용

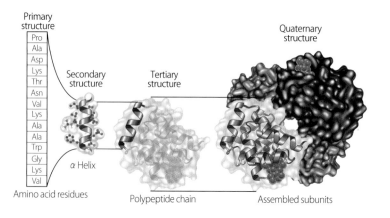

2) 1차 구조

(1) 폴리펩타이드의 아미노산 조성의 결정

- 정제된 폴리펩타이드를 강산(진한 염산 등)에 넣고 110℃에서 24시간 끓임

  ⇒ 성분 아미노산들로 가수분해 됨.

- 크로마토그래피를 통해 각각의 아미노산으로 분리

- 분리된 아미노산을 닌하이드린 시약과 반응시켜 정량

(2) 서열 분석(sequencing)

- Sanger

  - N-말단을 분석

- Edman degradation

  - N-말단에서부터 아미노산 서열을 분석

  - 사슬의 길이가 길어지면 정확도 떨어짐(대략 사슬 길이 40개까지)

- Specific cleavage: 특정 위치에서 펩타이드 결합을 끊는 시약들

  - Trypsin: Lys, Arg의 C쪽

  - Chymotrypsin: Phe, Tyr, Trp의 C쪽

  - CNBr: Met의 C쪽

> 사슬 길이가 긴 펩타이드는 몇 가지 specific cleavage를 일으키는 시약으로 절단해서 Edman degradation을 한 뒤 결과를 종합하여 서열을 분석함

(3) 질량 분석(mass spectrum)

- 단백질을 기체 상태의 이온으로 변형

  ⇒ 전기장에서 가속

  ⇒ 일정 거리를 이동하는(비행하는) 시간 측정: ToF (Time of Flight)

  ⇒ 분자량 계산 가능

- 기체 상태의 이온을 만드는 방법에 따라

  - MALDI-TOF (Matrix-Assisted Laser Desorption Ionization)

  - ESI-TOF (ElectroSpray Ionization)

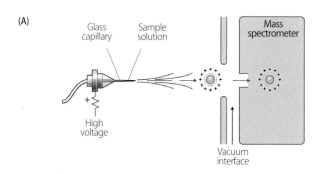

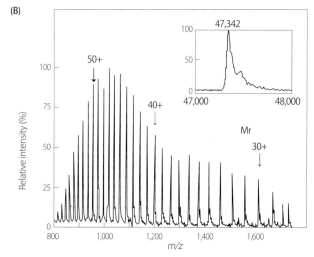

3) 단백질 구조의 개관
(1) Conformation(입체형태, 입체배열)

· Conformation

 – 단백질 분자 또는 단백질의 특정 부분에서 원자들의 공간적 배열

 – 단백질은 보통 주어진 조건에서 자유에너지가 가장 낮은 상태의
    conformation으로 존재

· 단백질의 conformation을 안정화 시키는 약한 상호작용

 – 수소결합

   O 또는 N과 결합하고 있는 H가 다른 곳에 있는 O 또는 N과의 상호작용

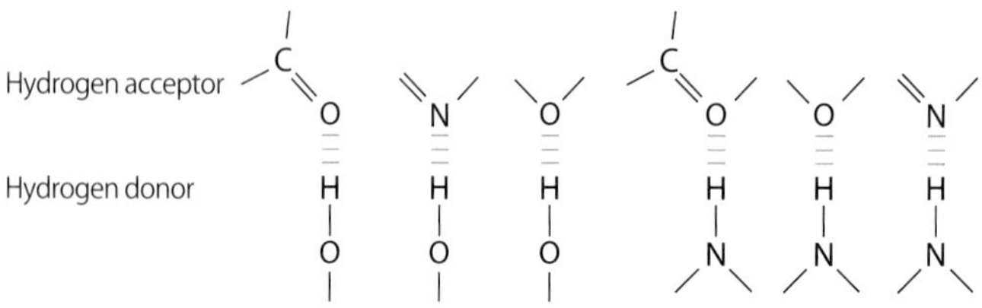

- 이온결합(이온–이온 힘)

  전하를 갖는 이온 간의 정전기적 상호작용

- 반데르발스 상호작용(런던 분산력)

- 소수성 상호작용

  친수성 환경에서 소수성 물질들이 서로 응집되는 상호작용

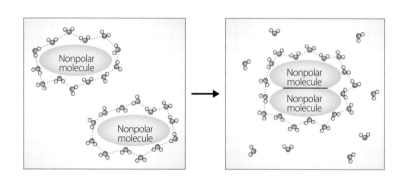

• 이황화 결합

  – 약한 상호작용은 아니지만, 입체구조 형성에 기여

(2) 펩타이드 결합의 구조적 특성

• 펩타이드 결합의 경직된 평면구조

  – 펩타이드 결합에서 C와 N간의 결합은 이중결합 성격을 가짐

  ⇒ 6개의 원자들은 반드시 한 평면 내에 존재

C_α–C간의 결합, N–C_α간의 결합은 자유롭게 회전이 가능

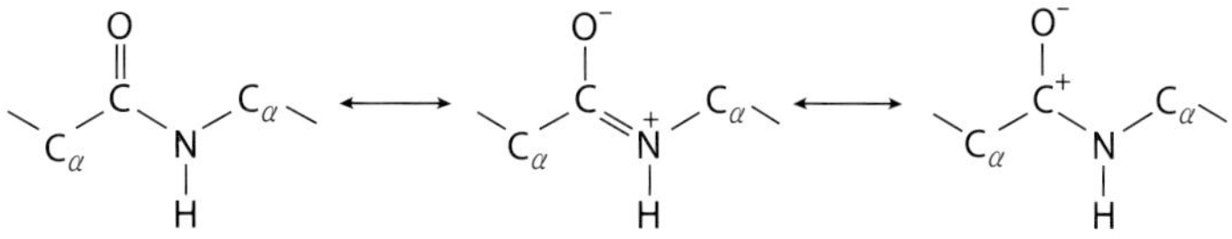

• Ramachandran plot

  – 입체적으로 가능한 φ (N–C_α 결합에 대한 각도), ψ (C_α–C 결합에 대한 각도)의 관계

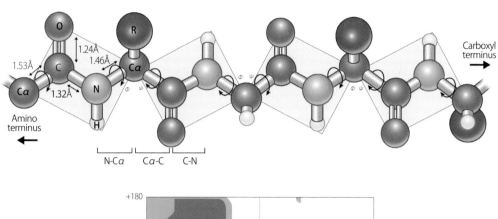

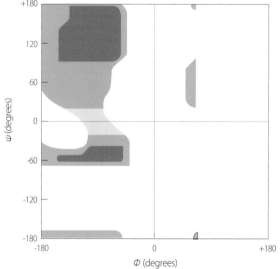

4) 2차 구조

(1) α-helix

- 펩타이드 결합의 카보닐 산소와 아마이드 수소 사이에 형성되는 수소결합에 의해 안정화

• 한 회전당 3.6개의 아미노산, 5.4Å ⇒ n번째 아미노산이 n+4번째
  아미노산과 수소결합 형성

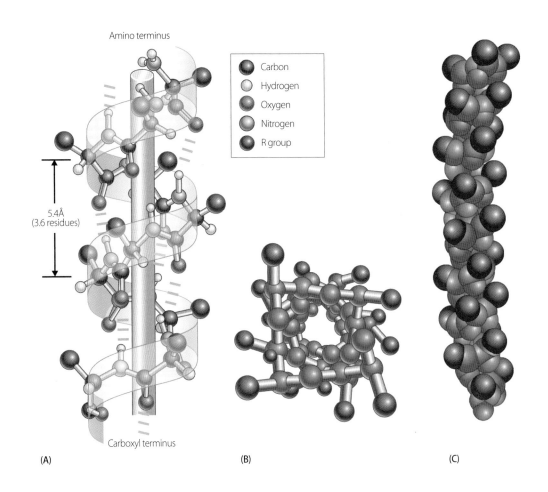

Amino terminus

Carbon
Hydrogen
Oxygen
Nitrogen
R group

5.4Å
(3.6 residues)

Carboxyl terminus

(A)　　　　　　　　　(B)　　　　　　　　　(C)

• 무극성 환경에서 잘 발견됨(ex. 막 관통하는 부위)
• α−helix 형성을 방해하는 아미노산

β-turn에서 잘 발견됨 ⋯⋯
  ● Pro, Gly
  − Val, Thr, Ile, Ser, Asp, Arg, Glu, Asn, Ser, ⋯⋯

(2) β-sheet

폴리펩타이드 사슬의 부분들이 나란히 배열되어 있음

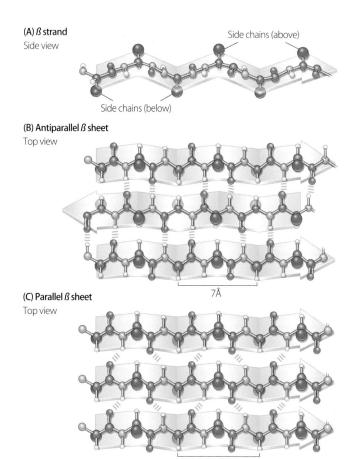

(A) ß strand
Side view

Side chains (above)

Side chains (below)

(B) Antiparallel ß sheet
Top view

7Å

(C) Parallel ß sheet
Top view

6.5Å

(3) β-turn

- 사슬이 trun하는 위치에서 발견
- Pro, Gly이 흔히 발견됨

5) 3차 구조와 4차 구조

(1) 섬유상 단백질

- 세포, 조직의 구조적인 지지를 제공함
- α-케라틴
  - 모발, 손톱, 발톱, 깃, 뿔, 발굽 등에서 발견됨
  - 소수성 아미노산(Ala, Val, Leu, Ile, Met, Phe 등)이 풍부

- 콜라젠
  - 힘줄, 연골, 뼈의 유기 바탕질(organic matrix), 각막 같은 결합조직에서 발견됨
  - 3중 나선 구조
  - 변형된 아미노산인 hydroxy-Pro가 흔히 발견됨
  - 콜라젠 합성 시 vitamin C (ascorbic acid) 필요로 함
    ⇒ ascorbic acid 결핍 시 괴혈병(scurvy) 발생

(2) 구형 단백질

- 다양한 기능을 제공: enzyme, transporter, motor protein, regulatory protein, immunoglobulin, ……
- Myoglobin (Mb)
  - 근육에 존재하는 O_2와 결합 가능한 단백질 ⇒ 근육에 O_2를 저장
  - 수축하는 근육 조직에서 O_2의 확산을 빠르게 촉진
  - 1개의 폴리펩타이드 사슬, 철 protoporphyrin (heme)으로 구성

(A)　　　　(B)

- 구형 단백질의 다양한 3차 구조
  - 모티프(motif): 접힘(folding)이라고도 부르는 초2차 구조
    2개 또는 그 이상의 2차 구조와 이들의 연결이 관여하는 인지 가능한 접힘 패턴
    2차 구조와 3차 구조 사이에 속하는 계통적 구조 요소는 아님!!!
    단백질의 기능과 관련
    단백질 구조를 분류하는 기초

– 도메인(domain)

독립적으로 안정되어 있으면서 전체 단백질에 대하여 동작을 수행할 수 있는 폴리펩타이드 사슬의 일부분

폴리펩타이드의 기능적, 삼차원 구조적 기본 단위

한 domain 안의 펩타이드 접힘은 다른 domain의 접힘과 독립적으로 일어남

(3) 4차 구조

- 2개 이상의 폴리펩타이드 소단위를 갖는 단백질 ⇒ 4차 구조 존재
- Allosteric interaction이 나타남
- Hemoglobin (Hb): Mb와 비슷한 4개의 폴리펩타이드가 형성한 사합체(tetramer)

6) 단백질의 변성과 접힘
(1) 단백질의 균형(proteostasis)

- 일정한 상황에서 필요한 세포 내 활성 단백질의 일정한 세트를 계속적으로 유지하는 것

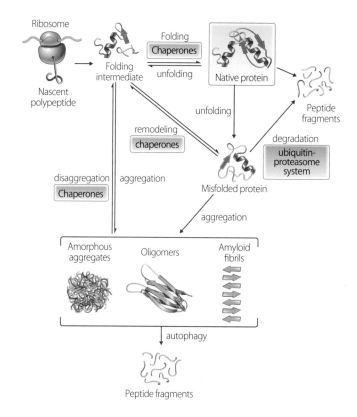

(2) 단백질의 변성(denaturation)

- 기능의 상실을 초래하기에 충분한 3차원 구조의 상실
- 열, pH 변화, 유기용매, 요소나 염산 구아니딘 같은 용질, 계면활성제 등에 노출 시 변성 가능

이들은 단백질의 conformation을 유지시키는 데 기여하는 약한 상호작용들 (이온-이온 힘, 런던 분산력, 수소결합, 소수성 상호작용)에 변화를 주어 구조를 변성시키게 된다.

(3) 단백질의 접힘(folding)

- 대체적으로 native structure는 열역학적으로 안정한 conformation을 형성
- 대체적으로 1차 구조(서열)가 3차 구조를 결정함
- 다른 단백질의 접힘에 도움을 주는 단백질
  - Hsp70 (heat shock proteins of molecular mass 70,000)
  - 소수성 잔기가 많은 접히지 않은 폴리펩타이드 부분에 결합
    ⇒ 아직 접히지 않은 합성되는 폴리펩타이드와 열에 의해 변성된 단백질을 보호

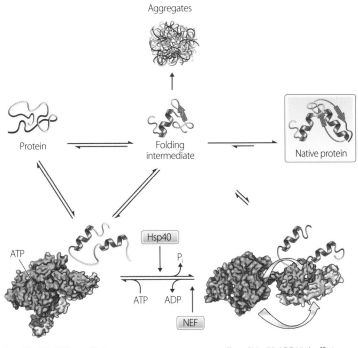

- 접히지 않은 폴리펩타이드와 결합
  ⇒ 단백질 응집체를 해체하거나 새로운 단백질 응집체가 생성되는 것을 방지
  ⇒ 결합된 폴리펩타이드가 방출될 때, 자연적인 형태로 다시 접히는 기회 얻게 됨.

(4) 단백질의 접힘 이상과 질병

- Amyloid
  - 정상적으로 세포에서 분비되는 가용성 단백질 잘못 접힌 상태로 분비, 세포 외에 침착된 것
  - Amylodosis: amyloid의 침착으로 인해 발생하는 질병의 총칭
- Alzheimer's disease
  - 대표적인 신경 퇴행성 질환(neurodegenerative disorder)
  - 치매의 가장 흔한 형태
  - Amyloid precursor protein (APP)으로부터 유래된 amyloid β (Aβ)의 침착
    ⇒ Senile plaque 형성
  - Tau (microtubule associated protein의 일종)의 hyperphosphorylation
    ⇒ Neurofibrillary tangle 형성
- Prion disease
  - Bovine spongiform encephalopathy (mad cow disease, 광우병)
  - 사람: Creutzfelt-Jacob disease, kuru
  - 양: scrapie

단백질의 기능과 효소

1. 산소 결합 단백질

Myoglobin과 hemoglobin에서 단백질과 리간드 간의 상호작용을 이해한다.

1) 4차 구조를 갖지 않는 단백질
(1) Heme

- O_2와 결합할 수 있는 보조단(prosthetic group)
- Porphyrin ring과 Fe^{2+}의 배위결합(coordination bond) ⇒ heme 구조

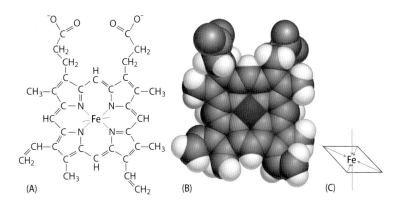

• 리간드(Ligand)
 – 단백질에 가역적으로 결합 가능한 분자
 – 효소에서는 '리간드'라는 용어 보다는 'substrate(기질)'이라고 함
• Globin에서의 heme 구조

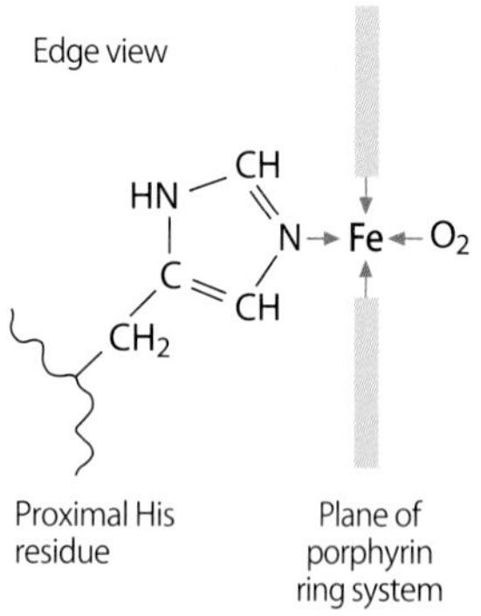

Edge view
HN
CH
N
Fe
O_2
C
CH
CH_2
Proximal His residue
Plane of porphyrin ring system

• O_2, CO의 Mb과의 결합

heme과 달리 myoglobin에서는 산소가 결합하는 부근에 His 잔기가 존재한다. 이 점 때문에 Fe-C-O간 직선 구조를 형성하는 CO(일산화탄소)와의 결합이 myoglobin에서는 heme보다 더 약하다.

O
O
Fe
X
(A)
O
C
Fe
X
(B)

His E7
Phe CD1
Val E11
H
O_2
Fe
His F8
(C)

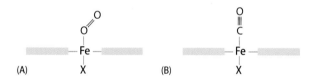

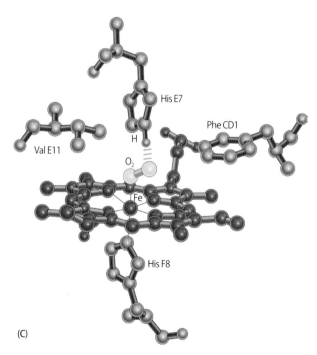

(2) 단백질과 리간드의 상호작용

- $P + L \rightleftharpoons PL$

$$K_d = \frac{[P][L]}{[PL]} \ : \text{dissociation constant}$$

$$\theta = \frac{\text{리간드가 결합한 자리}}{\text{총 결합자리}} = \frac{[PL]}{[PL]+[P]} = \frac{[PL]}{[PL]+[PL] \times \dfrac{K_d}{[L]}} = \frac{[L]}{[L]+K_d}$$

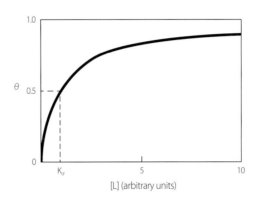

[L] (arbitrary units)

효소에서는 K_d 대신 K_m으로 사용

- K_d의 의미
  - 결합 자리의 절반이 리간드로 채워졌을 때(50% 포화되었을 때) 리간드의 농도
  - K_d 값이 작을수록 단백질에 대한 리간드의 친화도가 높음

(3) Myoglobin (Mb)

- 근육에 존재하는 산소 저장 단백질
- 1분자의 heme $\Rightarrow$ 1분자의 O_2와 결합 가능
- Mb와 O_2의 결합

$$Mb + O_2 \rightleftharpoons MbO_2$$

$$\theta = \frac{[O_2]}{[O_2]+K_d} = \frac{[O_2]}{[O_2]+[O_2]_{0.5}}$$

- 산소 농도 대신 부분압력을 대입

$$\Rightarrow \theta = \frac{pO_2}{pO_2+P_{50}} \quad P_{50} : [O_2]_{0.5}\text{에서 산소의 부분압력}$$

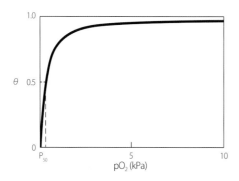

2) 4차 구조를 갖는 단백질

(1) Hemoglobin (Hb)

- RBC에 존재하는 산소 운반 단백질
- Tetrameric protein ⇒ 4차 구조를 갖는 단백질 ⇒ allosteric interaction
  - 성인의 경우(HbA) 2개의 α chain, 2개의 β chain으로 구성
  - 각 subunit들은 myoglobin과 구조적, 기능적으로 유사함
- 산소와 결합할 때 구조 변화 발생함: allosteric interaction
  ⇒ R (relaxed) state vs. T (tense) state
     R state가 T state에 비해 산소에 대한 친화도가 더 높음
  ⇒ 산소와 결합하면 R 상태를 안정화
     산소가 없으면 T 상태가 안정화 됨

(2) Hemoglobin과 산소의 협동적 결합(cooperative binding)

- Hb와 산소의 결합 곡선

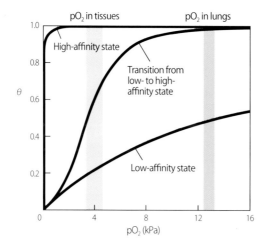

- Allosteric protein
  - 한 자리에 리간드가 결합하면, 같은 단백질의 다른 자리의 결합 속성에 영향을 받는 단백질
  - Modulator와의 결합에 의한 conformational change ⇒ activity의 변화
  - Modulator는 activator일 수도, inhibitor일 수도 있음
  - Homotropic interaction: 정상적인 리간드로 modulator가 같은 경우
  - Heterotropic interaction: modulator가 정상적인 ligand가 아닌 경우
  - 리간드와의 결합 곡선이 S자형

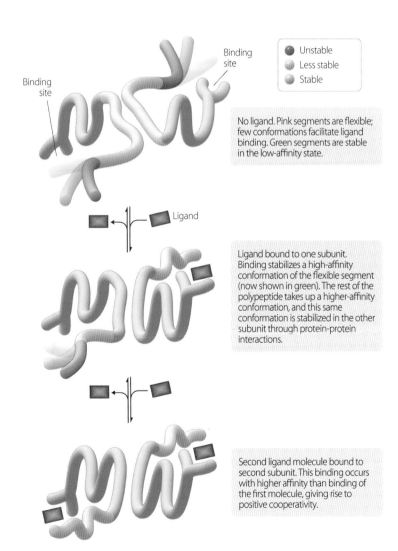

Unstable
Less stable
Stable

Binding site

Binding site

No ligand. Pink segments are flexible; few conformations facilitate ligand binding. Green segments are stable in the low-affinity state.

Ligand

Ligand bound to one subunit. Binding stabilizes a high-affinity conformation of the flexible segment (now shown in green). The rest of the polypeptide takes up a higher-affinity conformation, and this same conformation is stabilized in the other subunit through protein-protein interactions.

Second ligand molecule bound to second subunit. This binding occurs with higher affinity than binding of the first molecule, giving rise to positive cooperativity.

(3) 협동적 결합의 정량적 접근

- n개의 결합자리를 갖는 단백질

$$P + nL \rightleftarrows PL_n$$

$$K_d = \frac{[P][L]^n}{[PL_n]}$$

$$\theta = \frac{[PL_n]}{[PL_n]+[P]} = \frac{[PL_n]}{[PL_n]+ \dfrac{K_d[PL_n]}{[L]^n}} = \frac{[L]^n}{[L]^n+K_d}$$

$$\frac{\theta}{1-\theta} = \frac{[L]^n}{K_d}$$

$$\log\left(\frac{\theta}{1-\theta}\right) = n\log[L] - \log K_d \leftarrow \text{Hill equation} \quad K_d = [L]_{0.5}^n$$

- Hill plot : $n\log[L]$ vs. $\log\left(\dfrac{\theta}{1-\theta}\right)$를 plotting 한 것

  - 기울기 n ⇒ Hill coefficient라고 함. cooperativity의 정도를 나타
    내는 척도

    n>1: 리간드의 결합이 다른 결합을 촉진

    　　⇒ positive cooperativity.

    n<1: 리간드의 결합이 다른 결합을 방해

    　　⇒ negative cooperativity. 드물다.

- Hb와 산소의 결합 ⇒ $[O_2]$ 대신 pO_2 사용

  $$\Rightarrow \log\left(\frac{\theta}{1-\theta}\right) = n\log p_{O_2} - n\log P_{0.5}$$

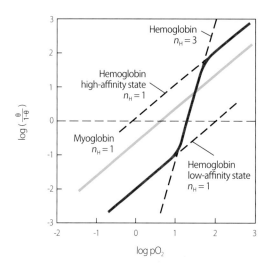

(4) Hemoglobin의 산소에 대한 친화도의 조절

- Bohr 효과
    - Hb와 O_2의 결합과 해리에 미치는 pH 및 CO_2의 영향
    - pH 낮아질수록(pCO_2 높아질수록) Hb의 O_2에 대한 친화도 감소
    - $CO_2 + H_2O \rightleftarrows H^+ + HCO_3^-$ by carbonic anhydrase

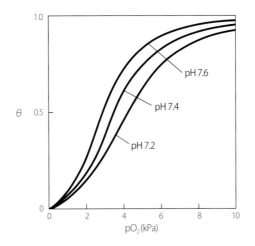

- H^+와 O_2는 Hb의 같은 부위에 결합하지 않음

  $HHb^+ + O_2 \rightleftarrows HbO_2 + H^+$

- 2,3-BPG (2,3-bisphosphoglycerate)
    - RBC에 다량 존재
    - Glycolysis 과정에서 생성되는 1,3-BPG가 mutase에 의해 전환되어 만들어짐

2,3-Bisphosphoglycerate

- Hb – BPG + O₂ ⇌ HbO₂ + BPG
- BPG 농도가 진할수록 Hb의 O₂에 대한 친화도 감소
- 고산 지대로 가면 BPG의 농도가 증가
    ⇒ Hb와 O₂와의 친화도 감소
    ⇒ O₂ 운반에 유리

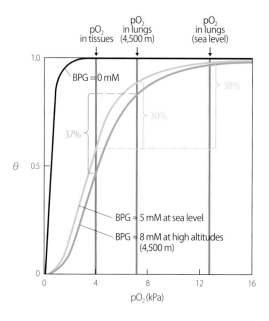

- Fetal hemoglobin: 성인의 Hb와 달리 2개의 α, 2개의 γ로 구성
    ⇒ 성인의 Hb에 비해 BPG에 대한 친화도 낮음
    ⇒ 성인의 Hb에 비해 O₂에 대한 친화도 높음
    ⇒ 산모의 Hb에 결합되어 있는 O₂를 효과적으로 가져올 수 있음

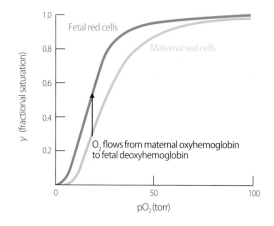

(5) Hemoglobinopathy

- Sickle cell anemia
  - HbS: β 사슬의 6번 위치에 존재하는 Glu가 Val로 치환됨
  - Glu: 생리적 pH에서 (−)전하 가짐
  - Val: 생리적 pH에서 전하 없음
    ⇒ Hb 표면에 소수어 접촉점 만들어 Hb 분자가 응집
    ⇒ fibrous aggregate 형성

sickle cell은 malaria에 대한 저항성을 갖고 있으며, malaria 유병 지역에는 sickle cell을 이형접합자(hetero)로 가지고 있는 인구가 다른 지역에 비해 높다.

- Sickle cell의 malaria에 대한 저항성

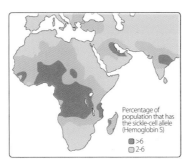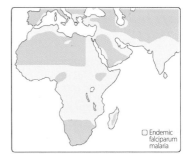

- Thalassemia
  - α 또는 β 사슬이 손실되거나 상당히 축소되어 발생
    ⇒ Hb의 기능 저하, RBC 생성 감소
    ⇒ anemia, fatigue, pale skin, spleen과 liver의 malfunction

2. 효소

효소의 반응속도론 및 효소 반응에 대한 조절 방법들을 학습한다.

1) 효소의 개요
(1) 효소의 구성 성분
- 전효소(holoenzyme): 비단백질 성분을 가진 활성화 상태의 효소
- 아포효소(apoenzyme): 효소의 단백질 부분, apoprotein이라고도 함
- 보조인자(cofactor): 효소의 단백질이 아닌 부분
  - 금속 이온
  - 조효소(coenzyme): 간단한 탄소화합물로 특정 작용기의 일시적인 운반체 역할
- Prosthetic group: 조효소나 금속 이온이 효소와 영구적으로 결합한 것

(2) 효소의 분류
- 관용명(common name, trivial name)
  - 기질(substrate)의 이름 또는 촉매하는 반응의 성질 + '~ase'
    - ex) amylase: amylose를 가수분해하는 효소
    - lipase: lipid를 가수분해하는 효소
    - DNA polymerase: DNA 중합 반응을 촉매
    - lysozyme: 세균의 세포벽을 lysis시킴
  - 그리스어에서 이름을 따와서 명명한 것도 있음
    - ex) pepsin, trypsin, chymotrypsin
- International classification of enzymes
  - 4자리 숫자로 구분
  - Class: 촉매하는 반응의 형태에 따라 6가지 class로 분류
  - Subclass: 이 효소가 어떤 group을 transfer 하는가!
  - Subsubclass: transfer된 group이 어디로 이동하는가!
  - Serial number or other information
    - ex) hexokinase: EC (Enzyme Commission) number = 2.7.1.1
    - transferase / phospho-transferase / -OH as acceptor / D-glucose

No.	Class	Type of reaction catalyzed
1	Oxidoreductases	전자 전달(hydride 또는 H 원자)
2	Transferases	Group transfer
3	Hydrolases	가수분해
4	Lyases	제거반응을 통한 이중결합의 생성, 또는 이중결합에 대한 첨가 반응
5	Isomerases	이성질화 - 분자 내 groups의 이동
6	Ligases	ATP의 분해와 짝지어진 축합 반응에 의한 결합의 형성

2) 효소의 작용
(1) 반응 속도에 효소가 미치는 영향

- Equilibrium (평형) vs. kinitics (속도)
  - 평형: 반응의 자발성 판단
  - 속도: 반응의 속도만 판단
  - Transition state (전이상태)
    ⇒ 반응물의 결합은 부분적으로 끊어지고, 생성물의 결합은 부분적으로 생성되고 있는 상태
    불안정한 상태로 반응 중간체(intermediate)가 아님
  - Activation energy (활성화 에너지)
    ⇒ 반응이 진행되기 위해 넘어야 할 에너지 장벽
    활성화 에너지보다 큰 에너지를 갖는 분자만이 반응 진행
- 촉매: 활성화 에너지를 낮춤으로써 반응 속도를 증가시킴
  - 평형 상태와는 관련 없음

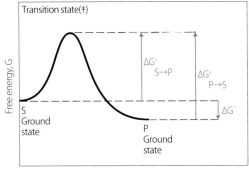

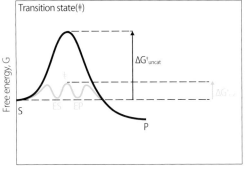

(2) 효소-기질 간의 상호작용

- Lock & key model
  - 효소와 기질은 구조적으로 유사하여 딱 들어맞음
- Induced fit model
  - 기질이 효소 분자에 접근하거나 결합하는 것에 따라 효소 분자의 입체 구조가 변화
  - Lock & key model에 비해 효소에 의한 반응속도 증가를 설명 가능

Lock & key model의 경우, 효소-기질 복합체를 형성하게 될 경우 활성화 에너지를 증가시켜 반응속도가 느려지게 된다. 반면, induced fit model에서는 효소-기질 복합체가 형성되면 전이상태를 안정화시킴으로써 활성화 에너지를 감소시키고, 반응 속도가 빨라지게 된다.

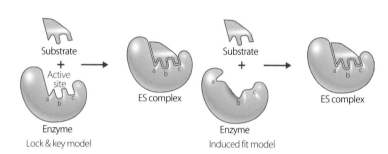

(A) No enzyme

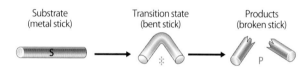

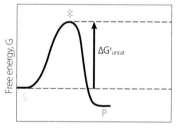

(B) Enzyme complementary to substrate

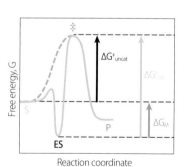

(C) Enzyme complementary to transition strate

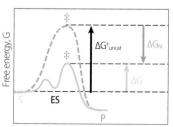

3) 효소 반응속도론
(1) 기질의 농도에 따른 효소 반응 속도

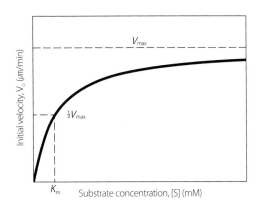

(2) Michaelis-Menten mechanism

- $\text{E} + \text{S} \underset{k_{-1}}{\overset{k_1}{\rightleftharpoons}} \text{ES} \overset{k_2}{\longrightarrow} \text{E} + \text{P}$

Steady-state approximation(정류상태 근사)

$$\Rightarrow \frac{d[\text{ES}]}{dt} = k_1[\text{E}][\text{S}] - (k_{-1} + k_2)[\text{ES}] \approx 0$$

Mass balance (질량 균형) $\Rightarrow [\text{E}]_0 = [\text{E}] + [\text{ES}]$

식을 연립해서 정리하면

$$\Rightarrow k_1 \left([\text{E}]_0 - [\text{ES}]\right)[\text{S}] - (k_{-1} + k_2)[\text{ES}] = 0$$

$$k_1[\text{E}]_0[\text{S}] = [\text{ES}](k_{-1} + k_2 + k_1[\text{S}])$$

$$[\text{ES}] = \frac{k_1[\text{E}]_0[\text{S}]}{k_1[\text{S}] + k_{-1} + k_2}$$

$$[\text{ES}] = \frac{[\text{E}]_0[\text{S}]}{[\text{S}] + \dfrac{k_1 + k_2}{k_1}} = \frac{[\text{E}]_0[\text{S}]}{K_m + [\text{S}]}$$

$$\therefore v = k_2[\text{ES}] = \frac{k_2[\text{E}]_0[\text{S}]}{K_m + [\text{S}]}$$

$$\lim_{[\text{S}]\to\infty} v = \lim_{[\text{S}]\to\infty} \frac{k_2[\text{E}]_0}{\dfrac{K_m}{[\text{S}]} + 1} = k_2[\text{E}]_0 = V_{max}$$

$$\therefore v = \frac{V_{max}[\text{S}]}{K_m + [\text{S}]}$$

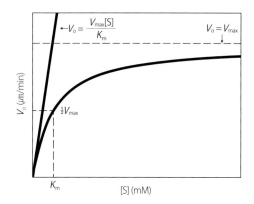

(3) Lineweaver-Burk plot (double-reciprocal plot)

- $V = \dfrac{V_{max}[S]}{K_m + [S]}$

양변에 역수를 취해서 식을 정리하면

$$\Rightarrow \frac{1}{V} = \frac{K_m}{V_{max}} \times \frac{1}{[S]} + \frac{1}{V_{max}}$$

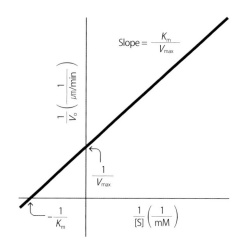

(4) K_m과 V_{max}의 의미

- $K_m \approx K_d$, dissociation constant

  ES complex에 있어서 효소의 기질에 대한 친화성의 지표

- $V_{max} = k_{cat}[E]_0$

  turnover number (k_{cat}): 효소가 기질로 포화되었을 때, 단위시간 당

  1개의 효소 분자에 의해 생성물로 바뀌는 기질 분자의 수

(5) 2가지 이상의 기질이 참여하는 효소 반응

• 삼중 복합체를 형성하는 경우

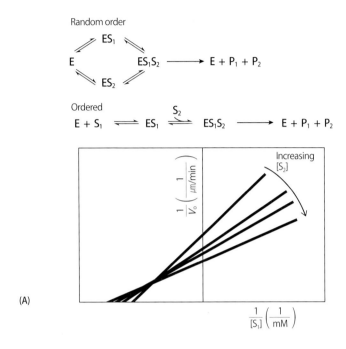

Random order

$$E + S_1 \rightleftharpoons ES_1 \xrightarrow{\ S_2\ } ES_1S_2 \longrightarrow E + P_1 + P_2$$

• 삼중 복합체를 형성하지 않는 경우

Double−displacement mechanism (ping−pong mechanism)

$$E + S_1 \rightleftharpoons ES_1 \rightleftharpoons E'P_1 \underset{P_1}{\rightleftharpoons} E' \underset{S_2}{\rightleftharpoons} E'S_2 \longrightarrow E + P_2$$

(6) 효소의 가역적 억제

• Competitive inhibition (경쟁적 저해)

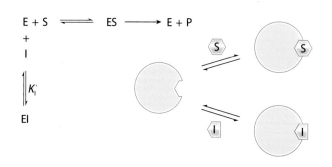

Competitive inhibition의 대표적인 예로 메탄올 중독의 치료를 들 수 있다. 메탄올 중독에서는 메탄올이 alcohol dehydrogenase에 의해 산화되어 생성되는 formaldehyde가 문제가 발생한다. 이 경우, 에탄올을 과량 투여하는데, 에탄올이 alcohol dehydrogenase에 대해 메탄올에 대한 competitive inhibitor로 작용하여 formaldehyde 생성을 저해시킨다.

$$v = \frac{V_{max}[S]}{\alpha K_m + [S]} \,,\ \alpha = 1 + \frac{1}{K_I} \,,\ K_I = \frac{[E][I]}{[EI]}$$

겉보기 V_{max} : 변화 없음 ⇒ 기질 농도가 충분히 높으면 inhibi-

tion은 극복됨

겉보기 K_m: αK_m으로 증가

$$\frac{1}{V_0} = \left(\frac{\alpha K_m}{V_{max}}\right)\frac{1}{[S]} + \frac{1}{V_{max}}$$

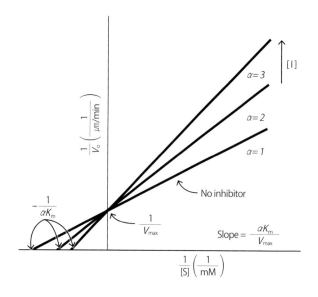

• Uncompetitive inhibition

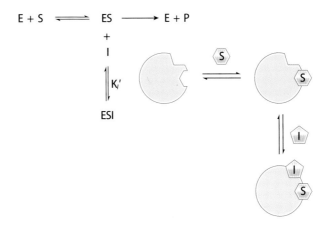

$$v = \frac{V_{\max}[S]}{K_m + \alpha'[S]}, \ \alpha' = 1 + \frac{[I]}{K'_I}, \ K'_I = \frac{[ES][I]}{[ESI]}$$

겉보기 $V_{\max}$: $\dfrac{V_{\max}}{\alpha'}$ 로 감소

겉보기 K_m : $\dfrac{K_m}{\alpha'}$ 로 감소

$$\frac{1}{V_0} = \left(\frac{K_m}{V_{\max}}\right)\frac{1}{[S]} + \frac{\alpha'}{V_{\max}}$$

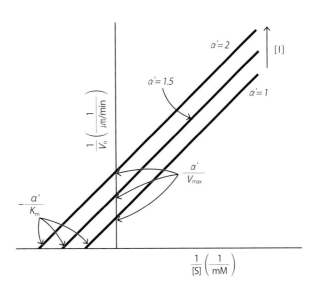

• Mixed inhibition

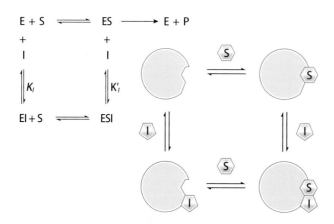

$$v = \frac{V_{\max}[\text{S}]}{\alpha K_m + \alpha'[\text{S}]}$$

겉보기 $V_{\max}$: $\dfrac{V_{\max}}{\alpha'}$ 로 감소

겉보기 K_m : $\dfrac{\alpha K_m}{\alpha'}$ 으로 변화

$\alpha = \alpha'$인 특별한 경우를 noncompetitive inhibition이라 하고,
겉보기 K_m 일정

$$\frac{1}{V_0} = \left(\frac{\alpha K_m}{V_{\max}}\right)\frac{1}{[\text{S}]} + \frac{\alpha'}{V_{\max}}$$

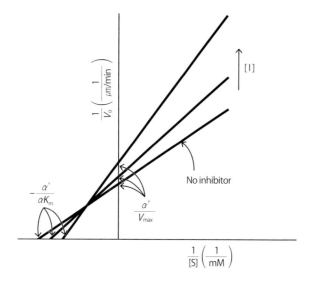

(7) 비가역적 억제

- Suicide inactivator
  - 특정 효소의 active site에 결합할 때까지 불활성인 상태로 있음
  - 최초의 몇 단계는 정상적인 효소 반응 진행
  - 정상적인 생성물 만드는 대신 효소와 공유결합 형성하는 반응성 높은 화합물 형성
  - 효소 반응의 mechanism에 기반하여 효소를 불활성화 시킴
    ⇒ Mechanism-based inactivator
  - 약물 설계에 활용
    Ex) DFMO (difluoromethylornithine): 아프리카 수면병 치료에 이용, 원인 기생충의 ornithine decarboxylase를 target으로 함
- Transition state analog
  - 기질 자체보다 active site에 더 잘 들어맞음
    ⇒ 기질보다 효소에 더 강하게 결합 ⇒ 효소와 기질의 반응을 억제
    Ex) Protease inhibitors: anti-HIV drugs

4) 조절 효소

(1) Allosteric enzymes

- Modulator에 의한 conformational change

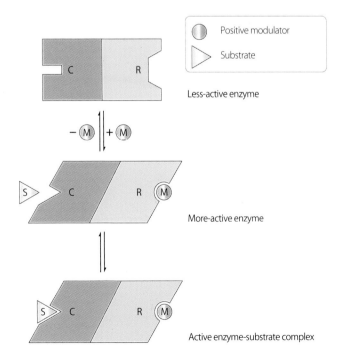

- Allosteric enzyme의 반응속도론적 특징 – sigmoid curve
  - 기질이 positive modulator (activator)로 작용하는 homotropic enzyme

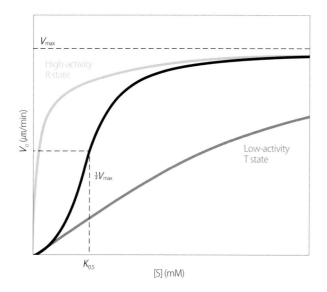

  - V_{max}의 변화 없이 $K_{0.5}$의 변화에 따른 modulator의 영향

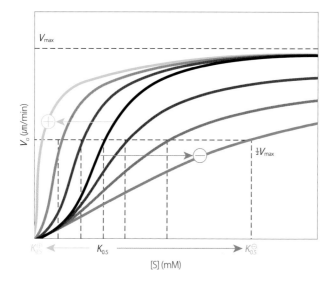

- Uncompetitive inhibition과의 감별점
  - Uncompetitive inhibition에서는 inhibitor가 효소에 결합해도 효소의 conformational change를 유도하지 않음
  - Allosteric regulation에서는 active site를 변화시켜 반응 속도를 촉진 또는 억제
- Allosteric regulation의 대표적인 예 ⇒ feedback inhibition
  - 일련의 대사과정에서 반응이 적당히 진행되어 필요한 만큼의 물질이 생성
    ⇒ 이 물질이 앞쪽 단계 효소에 allosteric inhibitor로 작용 ⇒ 대사의 조절

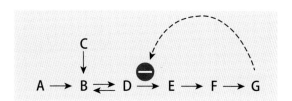

(2) Covalent modification

- 아미노산 잔기의 공유결합을 통한 변형에 의한 조절
- 인산화(phosphorylation)

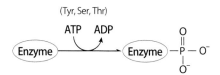

- 아데닐화(adenylation), 아세틸화(acetylation), 메틸화(methylation), …

(3) 인산기에 의한 단백질의 구조와 효소 활성

- Glycogne phosphorylase의 활성 조절

  - 2개의 subunit으로 구성되며, 각 subunit에 존재하는 특정 위치의 Ser

  - 인산화 여부에 따라 glycogen phosphorylase의 activity가 변함

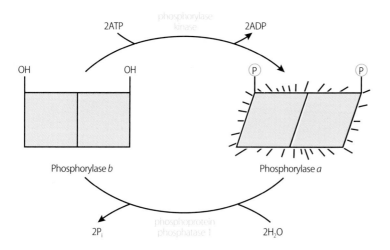

  - Phosphorylase kinase에 의한 인산화 ⇒ phosphorylase a (active form)

    $$2ATP + Phosphorylase\ b\ \text{(less active)} + 2ATP \rightarrow Phosphorylase\ a\ \text{(more active)}$$

  - Phosphorylase phosphatase에 의한 인산 제거 ⇒ phosphorylase b (inactive form)

    $$Phosphorylase\ a\ \text{(more active)} + 2H_2O \rightarrow Phosphorylase\ b\ \text{(less active)} + 2P_i$$

  - 인산의 결합에 따른 전하의 변화 ⇒ ion-ion interaction의 변화 ⇒ conformational change ⇒ activity의 변화

(4) Proteolytic Cleavage(결합의 절단을 통한 단백질의 활성화)

- Protease

  - 활성이 없는 zymogen 형태로 합성, zymogen granule에 저장

  - 분비된 후 결합이 절단되어 active form으로 전환됨

합성되는 장소	Zymogen	Active form
위	Pepsinogen	Pepsin
췌장	Chymotrypsinogen	Chymotrypsin
췌장	Trypsinogen	Trypsin
췌장	Procarboxypeptidase	Carboxypeptidase

고인슐린 혈증에 대한 감별에서 C-peptide를 체크하는데, C-peptide 수치가 증가되어 있으면 체내에서 insulin 합성 자체가 증가되는 종양을 고려해 볼 수 있고, C-peptide 수치가 정상이면 외부에서 과량의 인슐린이 유입된 것으로 판단할 수 있다.

- 인슐린
  - Proinsulin 상태로 합성 ⇒ 결합이 절단되어 insulin과 C-peptide 생성

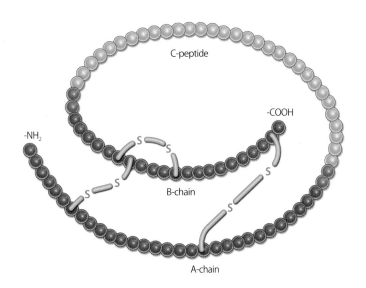

(5) Gene expression을 통한 조절

- 유전자 발현을 조절하여 효소의 양을 증가시킴
- 다른 조절 메커니즘에 비해 긴 시간이 필요

(6) Isozyme (동종 효소)

- 같은 반응을 촉매하는 다른 단백질
  - 다른 아미노산 서열: active site의 구조는 유사
  - 다른 kinetic behavior: K_m, V_{max}
- 특정 조직 또는 특정 발생 단계의 특별한 요구를 충족하기 위한 대사의 fine-tuning

탄수화물

1. 탄수화물의 구조

탄수화물의 구조 및 탄수화물에 대한 용어들을 학습한다.

1) 단당류와 이당류
(1) 탄수화물과 관련된 용어

- ~ose, ~saccharide, sugar ⇒ 탄수화물, 당이라는 뜻
- Aldose vs. ketose
  - Aldose: aldehyde (R-CHO)를 가지고 있는 탄수화물
  - Ketose: ketone (R-CO-R)을 가지고 있는 탄수화물
- 탄소 개수에 따라
  - 3탄당: triose ⇒ aldotriose, ketotriose
  - 4탄당: tetrose ⇒ aldotetrose, ketotetrose
  - 5탄당: pentose ⇒ aldopentose, ketopentose
  - 6탄당: hexose ⇒ aldohexose, ketohexose
  - 7탄당: heptose ⇒ aldoheptose, ketoheptose

D-Glyceraldehyde, an aldotriose

Dihydroxyacetone, a ketotriose

(2) 대표적인 단당류

• Aldose

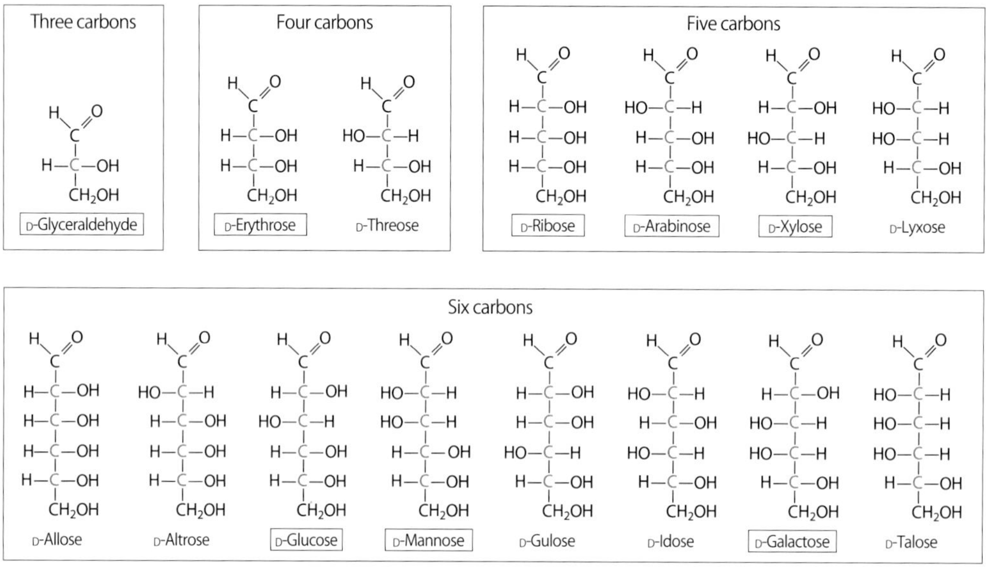

Three carbons

D-Glyceraldehyde

Four carbons

D-Erythrose   D-Threose

Five carbons

D-Ribose   D-Arabinose   D-Xylose   D-Lyxose

Six carbons

D-Allose   D-Altrose   D-Glucose   D-Mannose   D-Gulose   D-Idose   D-Galactose   D-Talose

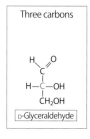

• Ketose

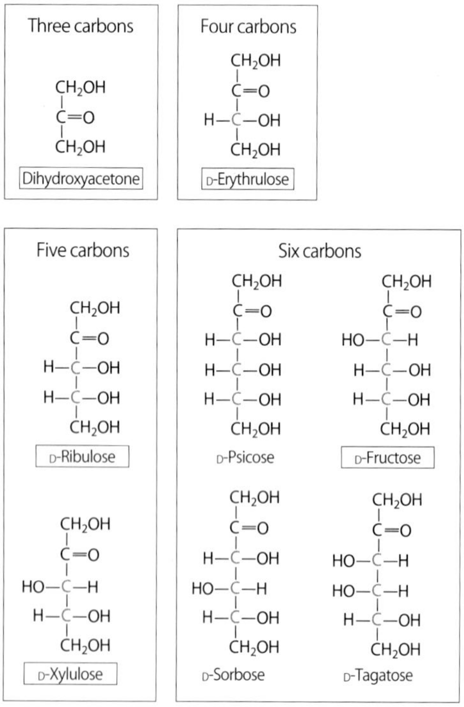

Three carbons

Dihydroxyacetone

Four carbons

D-Erythrulose

Five carbons

D-Ribulose

D-Xylulose

Six carbons

D-Psicose   D-Fructose

D-Sorbose   D-Tagatose

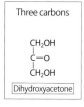

• Epimer: 탄소 1개의 입체화학만 다른 경우

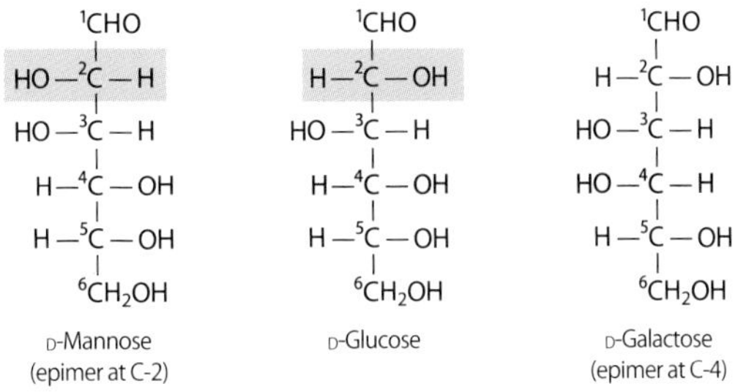

D-Mannose
(epimer at C-2)

D-Glucose

D-Galactose
(epimer at C-4)

(3) 단당류의 고리 구조

• 분자 내 반응을 통한 고리형 hemiacetal을 형성

  – Aldehyde/ketone과 – OH간의 반응 ⇒ acetal 형성

α–D-glucopyranose, β–D-glucopyranose 간의 관계를 anomer라고 함

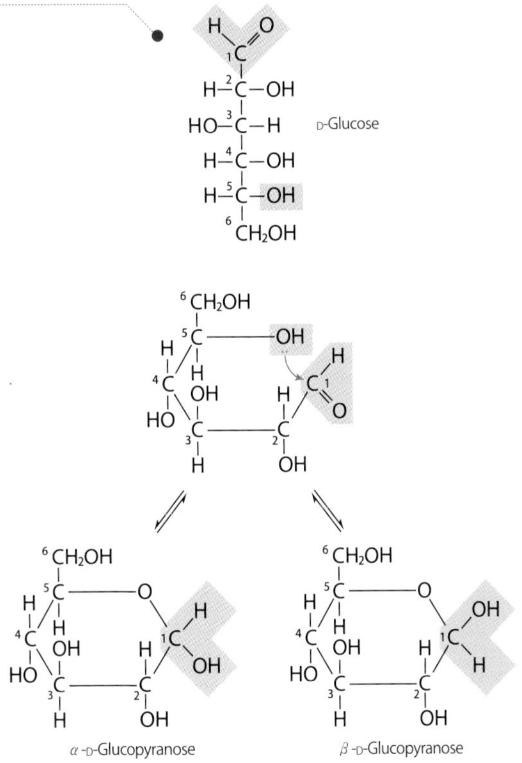

D-Glucose

α -D-Glucopyranose

β -D-Glucopyranose

• Furanose vs. pyranose

  – 5각형 고리 ⇒ furanose

  – 6각형 고리 ⇒ pyranose

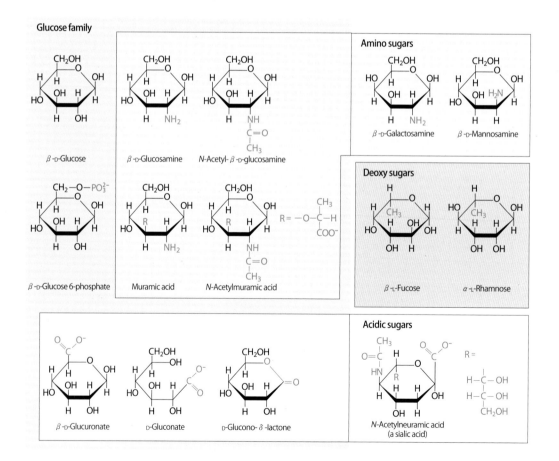

α-D-Glucopyranose

α-D-Fructofuranose

β-D-Glucopyranose

β-D-Fructofuranose

(4) 생명체에 존재하는 hexose의 유도체들

Glucose family

β-D-Glucose

β-D-Glucosamine

N-Acetyl-β-D-glucosamine

β-D-Glucose 6-phosphate

Muramic acid

N-Acetylmuramic acid

$R = -O - \overset{CH_3}{\underset{COO^-}{\overset{|}{\underset{|}{C}}}} - H$

β-D-Glucuronate

D-Gluconate

D-Glucono-δ-lactone

Amino sugars

β-D-Galactosamine

β-D-Mannosamine

Deoxy sugars

β-L-Fucose

α-L-Rhamnose

Acidic sugars

N-Acetylneuramic acid
(a sialic acid)

$R = -\overset{}{\underset{}{\overset{|}{\underset{|}{C}}}} - OH$
$\quad\; H - C - OH$
$\quad\quad CH_2OH$

(5) 단당류의 환원성

다당류에서는 환원성을 갖는 말단을 환원성 말단, 환원성을 갖지 않는 말단을 비환원성 말단이라고 한다.

(A)

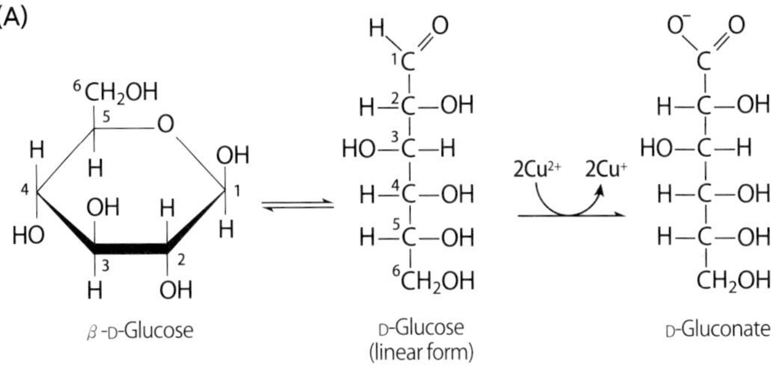

β-D-Glucose   D-Glucose (linear form)   D-Gluconate

(B)   D-Glucose + O_2 $\xrightarrow{\text{glucose oxidase}}$ D-Glucono-δ-lactone + H_2O_2

(6) 단당류 간의 결합

- Glycosidic bond
  - 고리 형태의 단당(hemiacetal)과 다른 당의 −OH 간에 형성된 acetal
  - α−glucose 간에 glycoside를 형성 ⇒ maltose

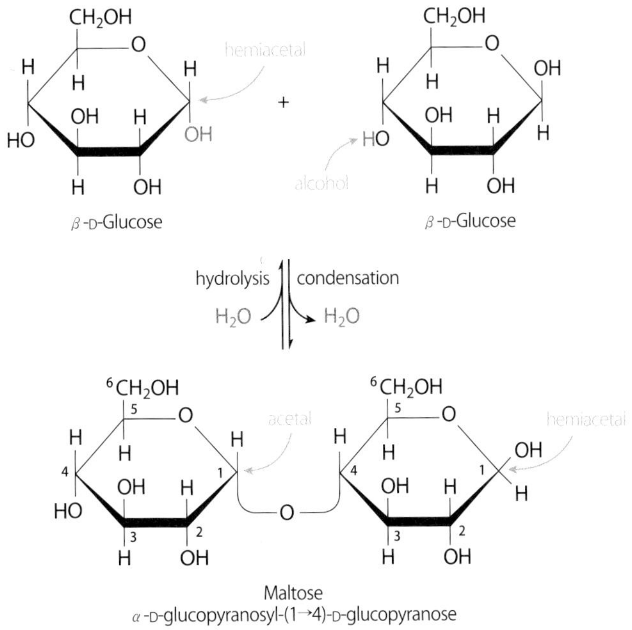

β-D-Glucose β-D-Glucose

hydrolysis | condensation
H_2O | H_2O

Maltose
α-D-glucopyranosyl-(1→4)-D-glucopyranose

- 대표적인 이당류

  - Lactose: Glucose + galactose

Lactose (β form)
β-D-galactopyranosyl-(1→4)-β-D-glucopyranose
Gal (β 1→4)Glc

  - Sucrose: Glucose + fructose

Sucrose
β-D-fructofuranosyl α-D-glucopyranoside
Fru (2 β↔α 1)Glc ≡ Glc (α 1↔2 β) Fru

Lactose intolerance – lactose를 가수분해하는 lactase가 결핍될 경우, 우유 및 유제품을 먹게 되면 소화되지 않은 lactose가 대장까지 내려가서 장내 세균에 의해 lactose 1분자당 4분자의 lactate를 형성하게 된다. 그 결과 장 내 용물의 삼투압이 증가하게 되어 삼투성 설사를 하게 된다.
소아 설사의 흔한 원인 바이러스인 rota virus는 장 점막에 손상을 가해 일시적인 lactase 결핍 상황을 유발하여 삼투성 설사를 일으킨다. 이 경우, 장 점막이 회복될 때까지 lactose-free diet를 하게 된다.

2) 다당류
(1) 다당류의 구분

- Homopolysaccharide: 한 종류의 단위체로 구성
- Heteropolysaccharide: 두 종류 이상의 단위체로 구성

Homopolysaccharides
Unbranched   Branched

Heteropolysaccharides
Two monomer types, unbranched   Multiple monomer types, branched

식물에서 발견되는 것을 starch (amylose, amylopectin)이라 하고 동물에서 발견되는 것을 glycogen이라 한다. amylose는 glucose 사슬이 가지를 치고 있지 않고, amylopectin과 glycogen은 가지를 치고 있다.

(2) 에너지 저장하는 역할을 하는 다당류

- amylose, amylopectin, glycogen

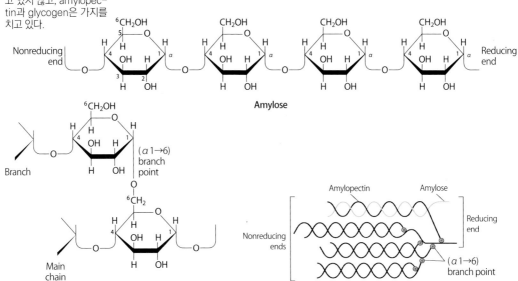

Amylose

(3) 구조적 역할을 하는 다당류

- Cellulose: β-glucose의 중합체, 식물의 세포벽 구성

(β 1→4)-linked D-glucose units

- Chitin: 절지동물 외골격의 주성분

(4) Heteropolysaccharides

- Peptidoglycan: 세균의 세포벽 구성
- Agarose: 해조류의 세포벽 구성, DNA의 전기영동에 이용
- Glycosaminoglycan
  - ECM (extracellular matrix, 세포 외 바탕질)에 존재하는 disaccharde
  - 어떤 glycosaminoglycan이 중합되었는가에 따라 다양한 heteropolysaccharides 형성
- Hyaluronic acid (hyaluronan)
  - Synovial fluid(관절의 윤활액)의 윤활제 역할
  - 안구의 유리체액(vitreous humor) 구성
  - 연골, 힘줄에 있는 ECM의 필수 구성 성분
    ⇒ ECM의 다른 성분과 강하게 상호작용 ⇒ 장력, 탄성
  - Hyaluronidase: hyaluronic acid를 분해하는 효소
- Chondroitin sulfate: 연골, 힘줄, 인대, 심장의 판막, 대동맥 벽의 장력 부여
- Dermatan sulfate: 피부의 유연성 부여, 혈관과 심장의 판막에 존재
- Keratan sulfate: 각막, 연골, 뼈, 각질, 뿔, 털, 손/발톱, 발굽
- Heparan sulfate: ECM의 성분, growth factor, 다양한 단백질과 상호작용
  - Heparin: 혈액 응고 방지

2. 대사의 개관

1) 대사
(1) Metabolic map

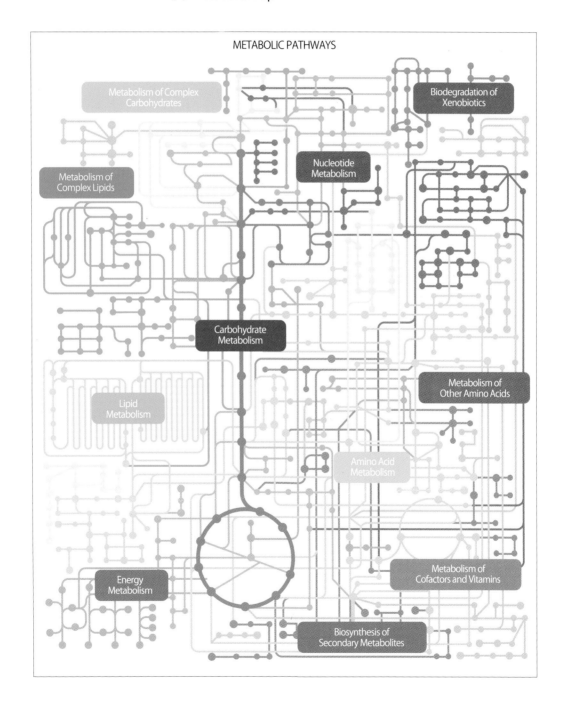

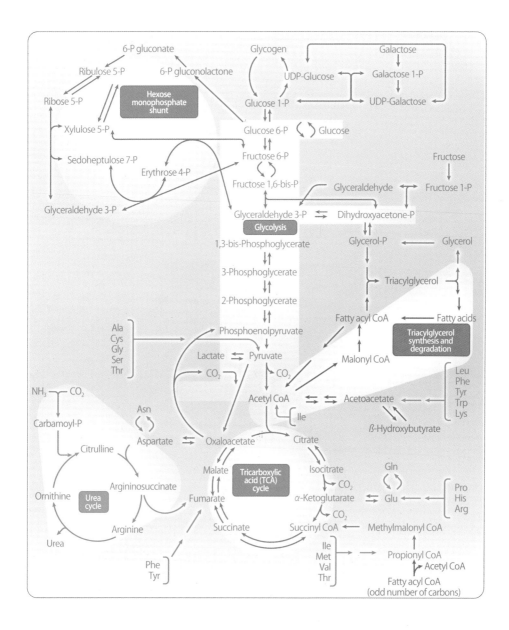

(2) 관련 용어들

- 대사(metabolism)
  - 생명체에서 일어나는 모든 화학 반응
  - 대사 경로(metabolic pathway)를 구성하는 일련의 효소 촉매 반응
- 대사물(metabolite): 대사 과정에서 나타나는 intermediates
- 이화(catabolism: 분해 과정, $\triangle G < 0$, ATP 방출, convergent pathway
- 동화(anabolism): 합성, $\triangle G > 0$, ATP 사용, divergent pathway

3. 포도당의 분해와 합성

포도당의 분해 및 합성 대사경로들(glycolysis, gluconeogenesis, pentose phosphate pathway 등)과 그 조절에 대해 학습한다.

1) Glycolysis (해당 과정)
(1) Preparatory phase
- Glucose 1분자당 2분자의 ATP를 사용
  ⇒ 2분자의 glyceraldehyde 3-phosphate 형성
- Glucose의 인산화
  - Glucose 6-phosphate (G-6-P) 형성 by hexokinase

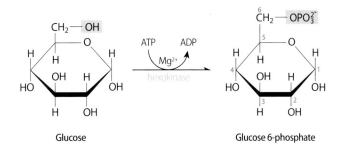

Glucose   Glucose 6-phosphate

Glucose에 (−) 전하를 붙임으로써 세포막을 관통해서 빠져나가는 것을 방지하게 된다.

- 세포 내로 유입된 glucose가 세포 밖으로 빠져나가지 못하도록 trapping하는 비가역적 과정
  - Glucokinase (hexokinase IV): hepatocyte, pancreatic β-cell에서 존재
  - 다른 isozyme에 비해 큰, K_m, V_{max}
    ⇒ 더 많은 양의 glucose를 효과적으로 수송
- Glucose 6-phosphate의 이성질화
  - Fructose 6-phosphate (F-6-P)의 형성 by phosphohexose isomerase
- **Fructose 6-phosphate의 인산화**
  - Fructose 1,6-bisphosphate (F-1,6-BP)의 형성 by phosphofructokinase-1 (PFK-1)
  - **Irreversible "commited" step**
    ⇒ 이 단계에 진입하면 반드시 glycolysis로 이어지고, 다른 경로의 대사가 진행되지 않음

Fructose 6-phosphate → Fructose 1,6-bisphosphate (by phosphofructokinase-1 (PFK-1), ATP → ADP, Mg^{2+})

- Allosteric interaction에 의해 조절되는 enzyme

  ATP의 분해산물인 ADP, AMP의 농도 증가 시 activity 증가

  ATP가 충분하거나 fatty acid 같은 다른 에너지원 존재 시 activity 감소

  PFK-2에 의해 형성되는 fructose 2,6-bisphosphate에 의해 activity 증가

  Ribulose 5-phosphate (PPP의 intermediate)에 의해 activity 증가

에너지가 부족한 상황이면, 에너지를 더 생산하기 위해 PFK-1이 활성화되고, 에너지가 충분하면, 더 이상 에너지를 생산하지 않아도 되므로 PFK-1이 비활성화됨

82p 참고

• Fructose 1,6-bisphosphate의 분해

  - Glyceraldehyde 3-phosphate, dihydroxyacetone phosphate의
    형성 by aldolase

Fructose 1,6-bisphosphate ⇌ (aldolase) Dihydroxyacetone phosphate + Glyceraldehyde 3-phosphate

• Dihydroxyacetone phosphate의 이성질화

  - Glyceraldehyde 3-phosphate로의 변화 by triose phosphate
    isomerase

(2) Payoff phase

• Preparatory phase로부터 생성된 glyceraldehye 3-phosphate로
  부터 ATP, NADH의 합성

  ⇒ Glyceraldehyde 1분자당 2분자의 ATP, 1분자의 NADH

  ⇒ Glucose 1분자당 4분자의 ATP, 2분자의 NADH

• Glyceraldehyde 3-phosphate의 산화

  - 1,3-Bisphosphoglycerate(1,3-BPG)가 형성되며 NADH 발생
    by glyceraldehyde 3-phosphate dehydrogenase

− 생성된 1,3−BPG는 mutase에 의해 2,3−BPG로 전환 가능

allosteric interaction을 통해 Hb와 O₂의 결합에 관여한다.

O=C–H | HCOH | CH₂OPO₃²⁻
Glyceraldehyde 3-phosphate

+ HO–P–O⁻ Inorganic phosphate

NAD⁺ → NADH + H⁺
glyceraldehyde 3-phosphate dehydrogenase

1,3-Bisphosphoglycerate

- 1,3−bisphosphoglycerate로부터 ADP로 phosphate의 전달
  − 3−Phosphoglycerate가 되면서 ATP 합성 by phosphoglycerate kinase

1,3-Bisphosphoglycerate

ADP

Mg²⁺ phosphoglycerate kinase

3-Phosphoglycerate

ATP

− 기질 수준에서의 인산화
  ⇒ 단순한 효소−기질 반응
    cf) 산화적 인산화 ⇒ mitochondria에서 진행, 전자전달을 통한 인산화
      ⇒ 호흡
- 3−Phosphoglycerate에서 phosphate의 자리 옮김
  − 2−Phosphoglycerate의 형성 by phosphoglycerate mutase

- 2-Phosphoglycerate의 탈수
  - Phosphoenolpyruvate (PEP)의 형성 by enolase

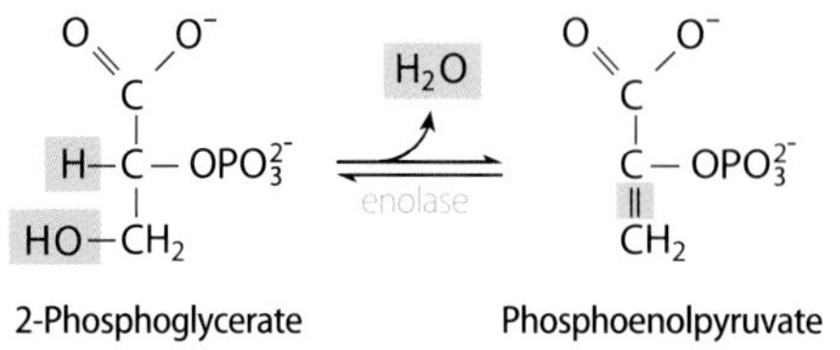

2-Phosphoglycerate   **Phosphoenolpyruvate**

- PEP (Phosphoenolpyruvate)로부터 ADP로 phosphoate의 전달
  - Pyruvate가 되면서 ATP의 합성 by pyruvate kinase

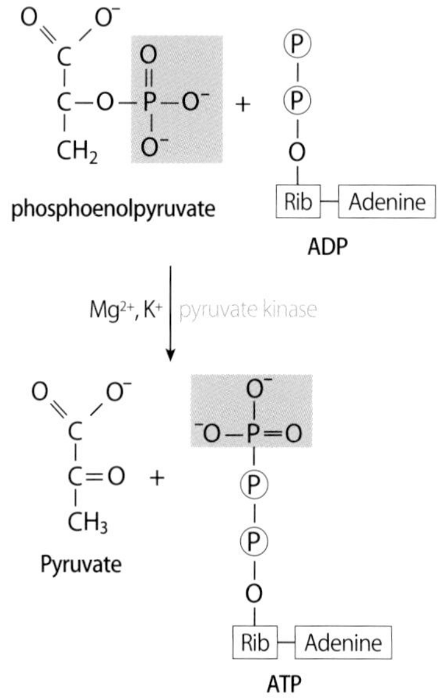

- 기질 수준에서의 인산화
- **비가역적 과정**
- Pyruvate kinase의 activity 조절
  혈당 낮으면 glucagon에 의해 cAMP의 농도 증가
  ⇒ Pyruvate kinase는 인산화에 의해 비활성화됨
  ⇒ Glycolysis를 계속하지 못하고, PEP가 gluconeogenesis로 들어감

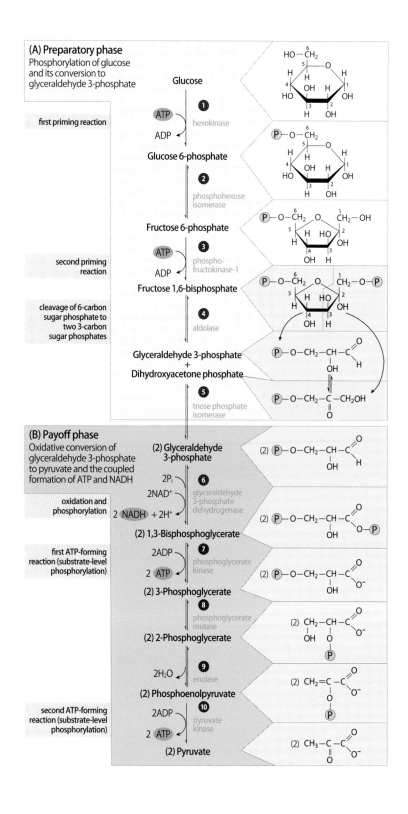

(A) Preparatory phase
Phosphorylation of glucose
and its conversion to
glyceraldehyde 3-phosphate

Glucose

first priming reaction

ATP
ADP

❶ hexokinase

Glucose 6-phosphate

❷ phosphohexose
isomerase

Fructose 6-phosphate

second priming
reaction

ATP
ADP

❸ phospho-
fructokinase-1

Fructose 1,6-bisphosphate

cleavage of 6-carbon
sugar phosphate to
two 3-carbon
sugar phosphates

❹ aldolase

Glyceraldehyde 3-phosphate
+
Dihydroxyacetone phosphate

❺ triose phosphate
isomerase

(B) Payoff phase
Oxidative conversion of
glyceraldehyde 3-phosphate
to pyruvate and the coupled
formation of ATP and NADH

(2) Glyceraldehyde
3-phosphate

oxidation and
phosphorylation

2Pᵢ
2NAD⁺
2 NADH + 2H⁺

❻ glyceraldehyde
3-phosphate
dehydrogenase

(2) 1,3-Bisphosphoglycerate

first ATP-forming
reaction (substrate-level
phosphorylation)

2ADP
2 ATP

❼ phosphoglycerate
kinase

(2) 3-Phosphoglycerate

❽ phosphoglycerate
mutase

(2) 2-Phosphoglycerate

2H₂O

❾ enolase

(2) Phosphoenolpyruvate

second ATP-forming
reaction (substrate-level
phosphorylation)

2ADP
2 ATP

❿ pyruvate
kinase

(2) Pyruvate

2) Glycolysis의 공급 대사 경로
(1) 탄수화물의 glycolysis로의 유입

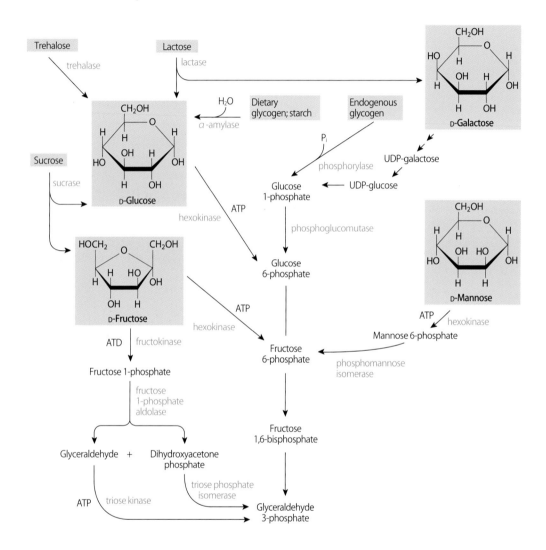

(2) Glycogen의 phosphorolysis (가인산분해) - glycogenolysis

- Glycogen phosphorylase
  - Glycogen을 glucose 1-phosphate (G-1-P)로 분해
  - ATP를 사용하지 않음

Nonreducing end

Glycogen (starch)
n glucose units

glycogen (starch)
phosphorylase

Glucose 1-phosphate

Glycogen (starch)
(n-1) glucose units

- Debranching enzyme
  - Glycogen의 가지친 부분을 제거함
- Phosphoglucomutase
  - G-1-P를 G-6-P로 전환 ⇒ glycolysis로 유입

(3) 이당류 및 그 밖의 다당류

- 이당류: 세포 내로 유입되기 전 단당류로 분해되어야 함.
- Fructose
  - Fructokinase: fructose의 1번 위치 인산화
    ⇒ fructose 1-phosphate 생성
  - Fructose 1-phosphate aldolase
    ⇒ Fructose 1-phosphate를 glyceraldehyde, dihydroxyacetone phosphate로 절단
    ⇒ glyceraldehyde는 triose kinase에 의해 glyceraldehyde 3-phospahte 생성
    ⇒ Glycolysis
- Mannose
  - Hexokinase에 의해 mannose 6-phosphate가 된 뒤
  - Phosphomannose isomerase에 의해 F-6-P로 변환됨
    ⇒ glycolysis

- Galactose

  - Galactokinase ⇒ galactose 1-phosphate 생성

  - UDP-glucose; galactoase 1-phosphate uridyltranferase

    ⇒ UDP-glucose로부터 UDP-galactose 형성

  - UDP-Glucose 4-epimerase

    ⇒ UDP-galactose로부터 UDP-glucose 형성

  - 3개의 효소 중 하나라도 결핍되면 ⇒ galactosemia

    ⇒ Galactitol이 수정체에 축적 ⇒ 삼투현상으로 물이 수정체에 유입 ⇒ 백내장

3) Fermentation (발효)

(1) 젖산 발효

- Lactate dehydrogenase에 의한 환원

  ⇒ Glycolysis에서 소모된 NAD^+의 재생성 과정

Glycolysis에서 소모된 NAD^+가 재생성되지 못하면 glycolysis가 더 이상 진행되지 못해 에너지를 생산할 수 없게 된다.

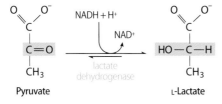

Pyruvate   L-Lactate

- 발효

  ⇒ 산소를 소모하지 않고, NAD^+ + NADH의 순변화 없이 ATP 추출하는 과정

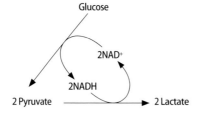

- 근육의 젖산 발효

  - White muscle: 무산소 조건에서 젖산발효를 통해 단시간에 빠른 에너지 발생, 이 때 생성된 젖산은 근육에 피로를 일으킴

    cf) Red muscle - 유산소 대사

(2) 암세포의 포도당 대사

- 정상 조직에 비해 포도당의 흡수와 glycolysis가 빠르게 진행됨
- Hypoxic condition으로 인해 glycolysis에 의존적임
- FDG: glucose의 analog
  ⇒ Glycolysis가 빠르게 일어나는 조직에 축적됨
  ⇒ PET에 이용

Positron Emission Tomography
방사선 동위원소가 붕괴되며 방출되는 양전자가 주변에 있는 전자와 충돌하여 쌍소멸 되면서 방출되는 감마선을 측정하는 핵의학적인 진단 방법으로 암 환자의 전이 work up에 흔히 이용됨

4) Gluconeogenesis (포도당 신생합성)

(1) Gluconeogenesis

- Pyruvate로부터 glucose를 합성하는 대사 경로
- Glycolysis의 역반응이 아님
  - Glycolysis의 대부분의 단계는 공유하지만,
  - Glycolysis의 비가역적인 단계 ⇒ 별도의 효소를 필요로 함
    Hexokinase ⇒ glucose 6-phosphatase
    Phosphofructokinase-1 ⇒ fructose 1,6-bisphosphatase
    Pyruvate kinase ⇒ pyruvate carboxylase & PEP carboxykinase

TCA 회로의 anaplerotic reaction에 관여하는 효소이기도 하다.

(2) Pyruvate를 PEP로 전환

- Pyruvate carboxylase
  - Pyruvate가 ATP, bicarbonate와 반응
    ⇒ oxaloacetate 생성 at mitochondria
  - Gluconeogenesis의 첫 번째 조절 효소
  - Coenzyme으로 biotin 필요

- Mitochondrial malate dehydrogenase
  - Mitochondrial membrane에는 oxaloacetate의 transporter가 존재하지 않음

- Oxalate는 malate dehydrogenase에 의해 malate로 환원
  ⇒ Malate-aspartate shuttle을 통해 cytosol로 이동 후 oxaloacetate로
  산화 119p 참고
- PEP carboxykinase
  - Oxaloacetate에서 PEP로 전환
  - GTP가 GDP와 phosphate로 분해되면서 발생하는 에너지 이용
    ⇒ 결과적으로 pyruvate로부터 PEP를 생성하는 과정에서 1분자의 ATP,
    1분자의 GTP 소모됨

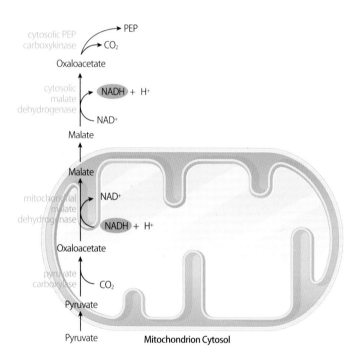

(3) Fructose 1,6-bisphosphate (F-1, 6-BP)로부터 fructose 6-phosphate로의 전환
- Fructose 1,6-bisphosphatase (FBPase-1)

(4) Glucose 6-phosphate로부터 glucose로의 전환
- Glucose 6-phosphatase
  - 간, 신장, 소장 내피세포의 ER 내부에서만 발견됨
  - 근육, 뇌 ⇒ glucose 6-phosphase가 없어서 gluconeogenesis가
    안 일어남
  - 결핍 시 glycogen storage disease

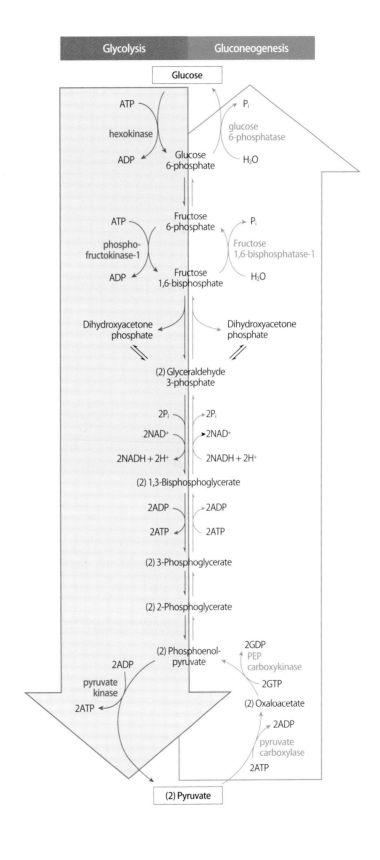

5) Pentose Phosphate Pathway (PPP)

(1) Pentose phosphate pathway

- PPP의 개요

  - Glucose 6-phosphate를 pentose phosphate로 산화

    ⇒ NADPH의 생성

  - 빠르게 분열하는 조직: RNA, DNA, ATP, NADH 등의 합성에 이용

  - 다른 조직들: ROS의 손상에 대처하기 위한 NADPH 합성

  - Oxidative phase와 non-oxidative phase로 구분

Hexose monophosphate pathway, HMP shunt, phosphogluconate pathway 라고도 불린다.

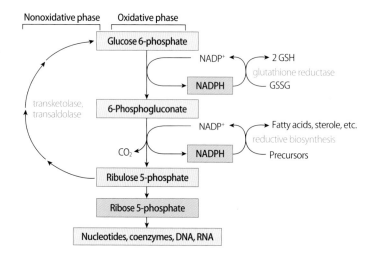

(2) Oxidative Phase

- Glucose 6-phosphate dehydrogenase (G6PD)

  - glucose 6-phosphate를 6-phosphoglucono-δ-lactone으로 산화시키면서 NADPH 생성

- Lactonase

  - 6-Phosphoglucono-δ-lactone을 가수분해 ⇒ 6-phosphogluconate 생성

- 6-Phosphogluconate dehydrogenase

  - 6-Phosphogluconate이 산화 및 CO_2가 제거되며 ribulose 5-phosphate, NADPH 생성

- Phosphopenetose isomerase

  - Ribulose 5-phosphate를 ribose 5-phosphate로 전환

    ⇒ 생합성 반응에서 환원제로 사용하는 NADPH, 뉴클레오타이드의 전구체인 ribose 5-phosphate 생성

(3) Glutathione과 ROS (Reactive Oxygen Species)

- Glutathione
  - Glu, Cys, Gly으로 구성된 tripeptide
  - ROS에 의한 산화적 손상으로부터 세포를 보호
- Glutathione peroxidase
  - Glutathione (G-SH)를 G-S-S-G로 산화시키며 H_2O_2를 물로 환원

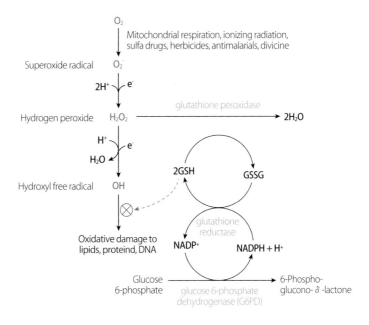

- Glutathione reductase
  - 산화된 형태인 G-S-S-G를 NADPH를 사용하여 환원된 형태인 G-SH로 전환

- G6PD의 결핍
  - NADPH를 효과적으로 만들지 못해 산화적 스트레스의 취약해짐

- Hemolytic anemia: RBC에 Heinz body가 형성됨

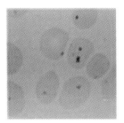

(4) Nonoxidative Phase

- Ribulose 5-phosphate epimerase
  - Ribulose 5-phosphate를 xylulose 5-phosphate로 전환

$$
\begin{array}{ccc}
CH_2OH & & CH_2OH \\
| & & | \\
C=O & & C=O \\
| & & | \\
H-C-OH & \rightleftharpoons & HO-C-H \\
| & \text{ribulose 5-phosphate epimerase} & | \\
H-C-OH & & H-C-OH \\
| & & | \\
CH_2OPO_3^{2-} & & CH_2OPO_3^{2-} \\
\text{Ribulose 5-phosphate} & & \text{Xylulose 5-phosphate}
\end{array}
$$

- 연속되는 일련의 탄소 골격 재배치
  - 6개의 pentose phosphate가 5개의 hexose phosphate (G6P)로 전환

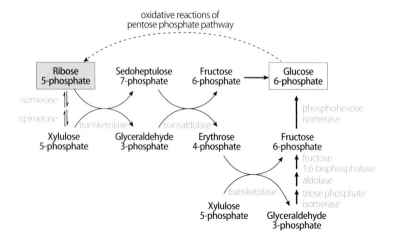

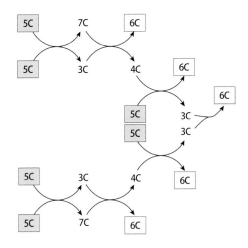

(5) Glucose 6-phosphate의 fate

- 세포의 필요성, $NADP^+$의 농도에 의해 결정
  - $NADP^+$ 없이는 PPP 진행 불가능
  - 세포가 생합성에서 NADPH를 소모하여 생성
    ⇒ 생성된 $NADP^+$에 의한 G6PD의 allosteric activation ⇒ PPP 진행
  - 세포의 NADPH에 대한 요구도 떨어지면 $NADP^+$ 농도 감소
    ⇒ glycolysis 진행

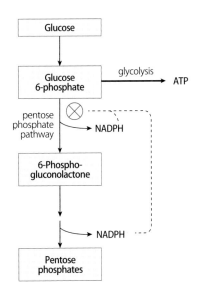

4. 대사 조절의 원리

대사 경로의 조절 과정 및 glycolysis, gluconeogenesis의 통합적인 조절에 대해 학습한다.

1) 대사 경로의 조절
(1) 효소의 양, 촉매 활성의 조절
- Extracellular signals – hormones, cytokine, neurotransmitter ...
  - Transcription factor의 활성화 ⇒ 효소 합성 속도의 조절
- mRNA의 안정성
  - 세포 내 RNAse에 의한 분해에 대한 저항성
- Translation 속도의 조절
- 단백질 분해 속도의 조절
  - Ubiquitination 후 proteasome에 의한 분해
  - Turnover가 빠른 단백질: 긴 반감기를 갖는 단백질보다 빠르게 steady-state 도달
- 세포 내 구획화를 통한 효소 활성의 조절
  ex) Hexokinase: glucose가 세포 내로 유입되기 전까지 작동 못함
- 기질 농도
  - 기질 농도 감소 시 activity 감소
  - 일반적으로 기질의 세포 내 농도는 K_m보다 작거나 같음 ⇒ 농도 영향이 큼
  - ATP로부터 인산의 전달, NADPH, NAD^+를 이용한 산화환원 반응 ⇒ 기질의 농도가 보통 K_m 보다 큼 ⇒ 반응에서 농도는 제한 요소가 되지 않음
- Allosteric interaction
- Covalent modification
  - Ser/Thr/Tyr의 인산화/탈인산화
- 다른 regulatory protein과의 결합을 통한 조절

(2) 대사 조절의 기본 원칙
- 반대 방향 경로가 동시에 작동되는 것을 방지
- 대체경로 사이에 대사 물질들을 적절히 분배
- 생명체의 긴급한 요구에 가장 적절한 연료를 이용
- 생성물이 축적되면 생합성 경로를 차단

2) Glycolysis와 Gluconeogenesis의 통합적 조절

(1) Hexokinase의 isozyme

- Isozyme: 같은 반응을 촉매하는 다른 효소
  - 서로 다른 장기에서 대사 유형의 차이
  - 동일 세포에서 효소가 존재하는 장소, 대사 과정에서 역할의 차이
  - 성인 조직과 배아 및 태아 조직의 분화에서의 다른 단계
  - Allosteric modulator에 의한 반응의 차이
- Hexokinase IV = Glucokinase
  - 간세포에 존재
  - 정상적인 혈중 포도당 농도보다 높은 K_m ⇒ 혈당에 따라 activity가 조절
  - 고혈당 ⇒ 혈당이 증가해도 포화되지 않고, activity 증가
  - 저혈당 ⇒ 간의 포도당 농도가 K_m보다 낮음 ⇒ gluconeogenesis에 의해 합성된 포도당이 trapping 되기 전에 세포로부터 떠남

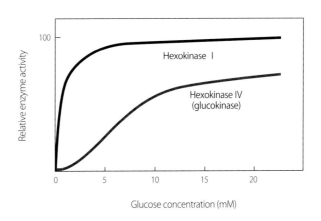

- Glucose 6-phosphate에 의한 inhibition이 없음
- 간의 특이적인 조절단백질과의 가역적 결합을 통한 inhibition
  핵 안에서 조절단백질과 결합하여 핵 안으로 glucokinase를 격리함
  Fructose 6-phosphate와 allosteric interaction으로 조절단백질과 결합 촉진
  Glucose와 allosteric interaction으로 조절단백질과 해리 촉진

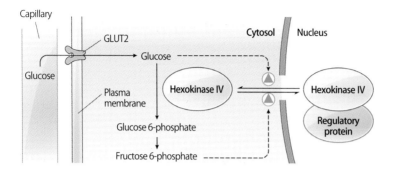

(2) Glucokinase와 Glucose 6-phosphatase의 전사 단계에서의 조절

- Glucokinase의 유전자 전사가 증가하는 상황
  - 많은 에너지 생산을 필요로 하는 상황: 낮은 ATP, 높은 AMP
  - 과도한 포도당 소모 상황: 고혈당
- Glucose 6-phosphatase의 유전자 전사가 증가하는 상황
  - 포도당 생산의 증가가 요구되는 상황: 저혈당, glucagon

(3) PFK-1과 FBPase-1의 상호 조절

- PFK-1 (Phosphofructose kinase-1)●
  - ATP에 의한 allosteric inhibition ⇒ PFK-1의 activity 감소
  - ADP, AMP 농도 증가 시 ATP에 의한 inhibition 효과 감소 ⇒ PFK-1 activity 증가
  - Citrate에 의한 allosteric inhibition ⇒ PFK-1의 activity 감소

Fructose 6-phosphate로부터 fructose 1,6-bisphosphate 형성하는 반응의 촉매로, glycolysis의 committed step

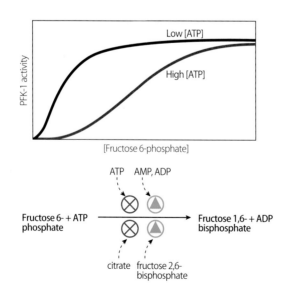

- FBPase−1 (Fructose 1,6−bisphosphatase−1)
  - AMP에 의한 allosteric inhibition

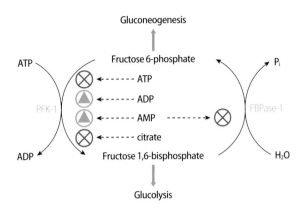

⇒ 에너지가 충분하면 glycolysis 억제 vs. 에너지가 부족하면 glycolysis 촉진

(4) Fructose 2,6-bisphosphate에 의한 PFK-1, FBPase-1의 allosteric interaction

- Fructose 2,6−bisphosphate (F26BP)가 PFK−1, FBPase−1에 미치는 영향
  - PFK−1의 allosteric site에 결합 ⇒ fructose 6−phosphate에 대한 친화도 증가 ⇒ glycolysis 촉진
  - FBPase−1의 fructose 1,6−bisphosphate에 대한 친화도 감소 ⇒ gluconeogenesis 억제

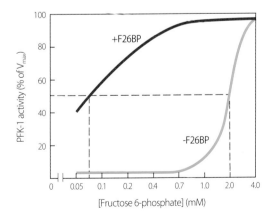

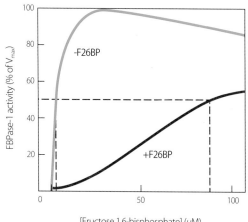

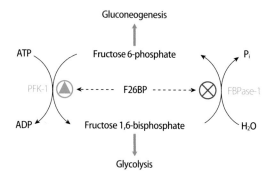

- F26BP 농도의 조절: PFK-2 vs. FBPase-2
  - 2가지 기능을 가진 단일 단백질
  - 단백질에 존재하는 2가지 다른 active site가 각각의 기능 수행
  - Glucagon → cAMP → cAMP-dependent protein kinase
    → FBPase-2 활성화 ⇒ gluconeogenesis
  - Insulin → phosphoprotein phosphatase → PFK-2 활성화
    ⇒ glycolysis

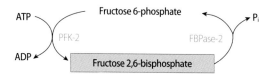

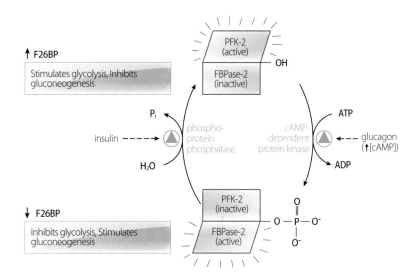

(5) Pyruvate kinase에 대한 ATP의 allosteric inhibition

- 척추동물 – 3종류의 isozyme
- 고농도의 ATP, acetyl-CoA, long-chain fatty acid ⇒ 모든 isozyme 억제
- Pyruvate kinase L (liver form)
  - M form (muscle form)과 달리 인산화에 의한 추가적 조절 받음
  - Glucagon → PKA → pyruvate kinase L의 인산화 → 불활성화
    ⇒ Glycolysis 줄이고, 다른 기관에서 사용할 수 있도록 gluconeo-genesis

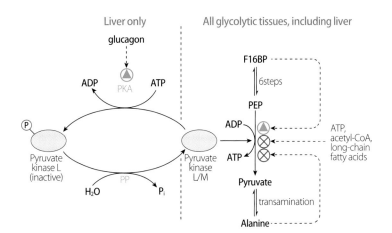

(6) Pyruvate에서 PEP로의 전환 과정의 조절

- Acetyl−CoA
  - Pyruvate carboxylase에 대한 positive allosteric modulator
  - Pyruvate dehydrogenase에 대한 negative allosteric modulator
- 세포의 에너지 요구 충족될 때
  - TCA 회로, 산화적 인산화의 억제
  - $NADP^+$에 비해 NADH 증가
  - Acetyl−CoA 축적

    Pyruvate dehydrogenase 억제 ⇒ acetyl-CoA 생성 저해 ⇒ TCA 회로 억제

    Pyruvate carboxylase 활성화 ⇒ gluconeogenesis 촉진

Pyruvate를 acetyl−CoA로 산화시키는 enzyme

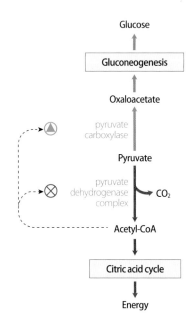

(7) Glycolysis, gluconeogenesis의 전사 조절 ⇒ 효소 분자 수를 조절

- Insulin에 의한 발현 증가
  - Hexokinase II, Glucokinase, PFK−1, pyruvate kinase ⇒ glycolysis
  - G6PD, 6−phosphogluconate dehydrogenase ⇒ PPP
  - Pyruvate dehydrogenase, acetyl−CoA carboxylase, malic enzyme, ATP−citrate lyase, fatty acid synthase complex ⇒ 지방산 합성

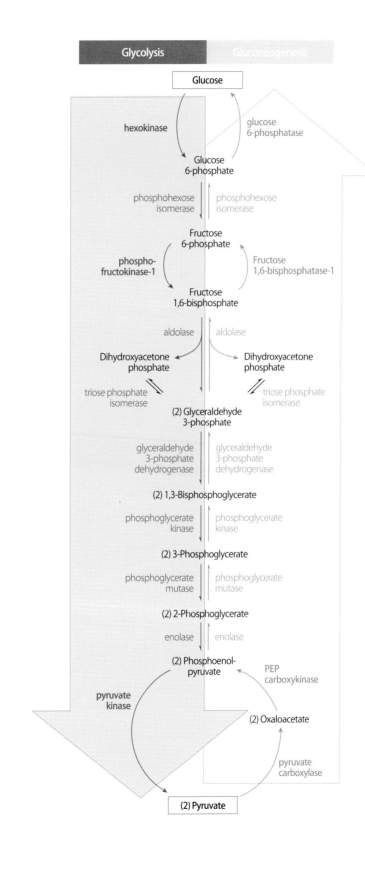

- Stearoyl–CoA dehydrogenase ⇒ 지방산의 불포화
- Acyl–CoA–glycerol transferase ⇒ 중성지방(TG)의 합성
• Insulin에 의한 발현 감소
- PEP carboxykinase ⇒ gluconeogenesis
- Glucose 6–phosphatase ⇒ 혈중으로 포도당 유리

5. Glycogen 대사

Glycogen 대사와 그 조절 및 기관에 따른 탄수화물 대사의 차이를 학습한다.

1) Glycogen의 분해 - glycogenolysis
(1) Glycogen phosphorylase
• Glycogen의 가인산분해(phosphorolysis) ⇒ glucose 1–phosphate 생성
• ATP를 소모하지 않는 반응
• Non–reducing 말단 쪽에서 반응 진행

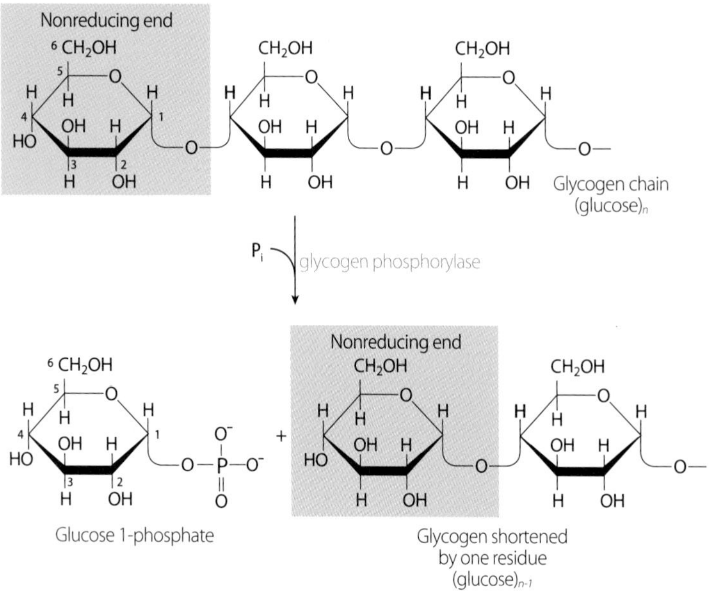

(2) Glycogen debranching enzyme

- Glycogen phosphorylase에 의한 가인산분해는 branching 하고 있는 위치에서 glucose 4개 떨어진 위치까지 지속됨
- 4개의 잔기가 남은 상태에서 debranching enzyme이 작동
  ⇒ Drbranching 된 후 다시 glycogen phosphorylase에 의한 가인산분해 시작

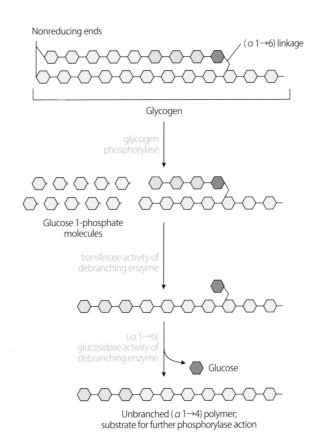

(3) Phosphoglucomutase

- Glucose 1-phosphate를 glucose 6-phosphate로 전환

(4) Glucose 6-phosphatase

- Gluconeogenesis의 마지막 단계 enzyme
- 근육, 지방에는 존재하지 않음
  - glycogen이 분해되어 형성된 glucose 6-phosphate는 glycolysis로 진행 ⇒ 세포의 자체적인 에너지원으로 사용

• 간, 신장에 존재
  - 생성된 glucosede 6-phosphate가 glucose가 되어 혈액으로 분비
    됨 ⇒ 다른 조직으로 glucose 전달

(5) Glycogen storage disease
• 간세포에 glycogen이 축적되어 발생하는 유전질환
• Glycogen 대사에 관여하는 효소의 유전적 결함으로 발생

2) Glycogen의 합성 - glycogenesis
(1) UDP-glucose
• Sugar-nucleotide
  - nucleotide와 결합한 sugar
  - 단당류가 다당류로 중합되기 위해 활성화된 상태
  - Nucleotidyl group으로 tagging ⇒ 한 가지 목적(중합)으로만 사용

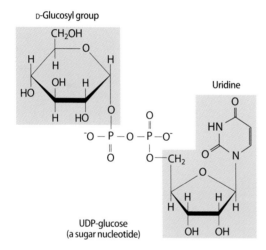

(2) Glycogen synthesis
• Phosphoglucomutase
  - Glucose 6-phosphate를 glucose 1-phosphate로 전환
• UDP-glucose pyrophosphorylase
  - Glucose 1-phosphate + UTP → UDP-glucose + PP_i
    ⇒ UDP-glucose의 생성
    ⇒ pyrophosphate (PP_i)는 inorganic pyrophosphatase에 의해 분해되며
      많은 자유에너지 방출 ⇒ 정반응 촉진

Glycogenolysis에서
glucose 1-phosphate를
glucose 6-phosphate로
전환하는 역할도 함

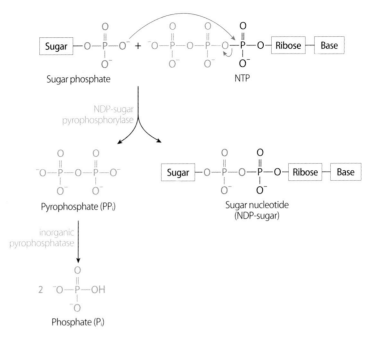

Net reaction: Sugar phosphate + NTP → NDP-sugar + 2P_i

- Glycogen synthase
  - UDP-glucose를 glycogen으로 중합
  - Branching 기능 없음
  - Glycogen 사슬의 non-reducing 말단 쪽에 glucose를 붙여감
- Glycogen-branching enzyme (transglycosylase)에 의한 branching
  - Solubility 증가
  - Nonreducing 말단의 수 증가
    ⇒ Nonreducing 말단에 작용하는 효소들이 glycogen에 접근할 수 있는 부위 증가
    Ex) Glycogen phosphorylase, glycogen synthase

(3) Glycogenin

- Glycogen synthase: 적어도 8개의 포도당 잔기를 가진 primer를 필요로 함
- Glycogenin
  - 초기 glycogen 합성의 primer 역할을 하면서 조립을 촉진하는 효소 역할을 함

3) Glycogen 대사의 조절
(1) Glycogen Phosphorylase
- Active form ⇒ phosphorylase a
  - Ser 잔기에 phosphate가 결합한 형태, (−)전하
  - 근육에서 격렬한 운동을 하는 동안 dominant
- Inactive form ⇒ phosphorylase b
  - Ser 잔기로부터 phosphate가 제거된 형태, 전하 없음
  - 근육이 휴식 상태에 있을 때 dominant
- Allosteric interaction에 의한 활성의 조절
  - Ca^{2+}: 근수축을 위한 신호, phosphorylase b kinase에 대한 allosteric activator
  - AMP: phosphorylase에 대한 allosteric activator
  - Phosphorylase a phosphatase (PP1): phosphorylase a로부터 phosphate 제거

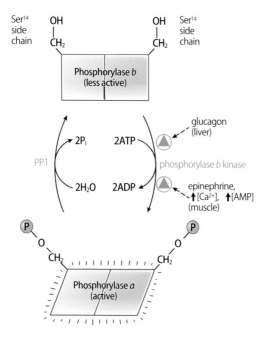

- 호르몬에 의한 조절
  - Epinephrine, glucagon – signal cascade
    ⇒ cAMP (second messenger)
    ⇒ PKA (Protein Kinase A, cAMP-dependent protein kinase)

⇒ phosphorylase b kinase

⇒ glucogen phosphorylase

- 간의 glucogen phosphorylase

  − 저혈당

  glucagon → phosphorylase b kinase 활성화 → glycogen phosphory-lase 활성화 → glycogen 분해, 생성된 glucose가 혈액으로 분비 ⇒ 혈당 상승

  − 혈당 정상화 후

  간세포로 들어온 glucose − phosphorylase의 allosteric inactivator

  − Glucose에 의한 allosteric interaction ⇒ 혈당에 대한 sensing, 혈당 조절

(2) Glycogen Synthase

- Active form ⇒ glucogen synthase a
  − Ser 잔기로부터 phosphate가 제거된 형태, 전하 없음
- Inactive form ⇒ glycogen synthase b
  − Ser 잔기에 phosphate가 결핍된 형태, (−)전하
- Glycogen synthase kinase 3 (GSK3)
  − Glycogen synthase를 인산화시켜 불활성화시킴
  − Insulin에 의해 불활성화됨
- Glycogen synthase에 대한 activity의 조절

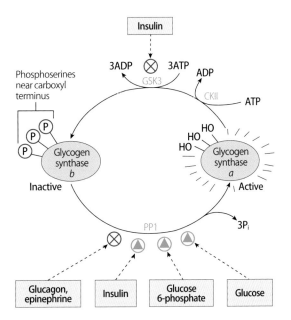

(3) Phosphoprotein Phosphatase 1 (PP1)

- Glycogen-targeting protein (glycogen 대사와 관련된 3가지 enzyme)에서 phosphate 제거
  - Phosphorylase kinase ⇒ inactive form으로 전환
  - Glycogen phosphorylase ⇒ inactive form으로 전환
  - Glycogen synthase ⇒ active form으로 전환
- Glucagon, epinephrine – PKA에 의한 인산화로 불활성화
- G6P, glucose, insulin에 의해 활성화

4) 탄수화물 대사의 통합

(1) 기관에 따른 대사의 차이

- 간세포(hepatocytes): glucose를 혈액으로 공급
- Others: glucose를 연료로 사용

(2) 탄수화물이 풍부한 식사(carbohydrate-rich diet) 후

- 혈당 상승에 의한 insulin 분비
  - 간세포에서 GSK3 불활성화, PP1 활성화
    Phosphorylase kinase, glycogen phosphorylase의 탈인산화 통환 불활성화
    ⇒ glycogenolysis 억제
    Glycogen synthase의 탈인산화 통한 활성화
    ⇒ glycogenesis 촉진
    PFK-1, pyruvate kinase 활성화
    ⇒ glycolysis 촉진, gluconeogenesis 억제
- Glucose: GLUT2를 통해 간세포로 유입 ⇒ 핵의 조절 단백질에 영향 ⇒ 핵 안에 격리되어 있는 glucokinase를 세포질로 이동 ⇒ G6P 형성 촉진

(3) 공복 상황 (fasting)

- Glucagon → cAMP ⇒ PKA
  - Phosphorylase kinase 활성화 → glycogen phosphorylase 활성화
    ⇒ glycogenolysis 촉진
  - Glycogen synthase 불활성화
    ⇒ glycogenesis 억제

- PFK-2/FBPase-2 인산화 → fructose 2,6-bisphosphate 농도 감소

⇒ PFK-1 불활성화, FBPase-1 활성화

⇒ Glycolysis 억제, gluconeogenesis 촉진

- Pyruvate kinase L의 인산화 통한 불활성화

⇒ Gluycolysis 억제, gluconeogenesis 촉진

(4) 간세포에서 탄수화물 대사의 조절

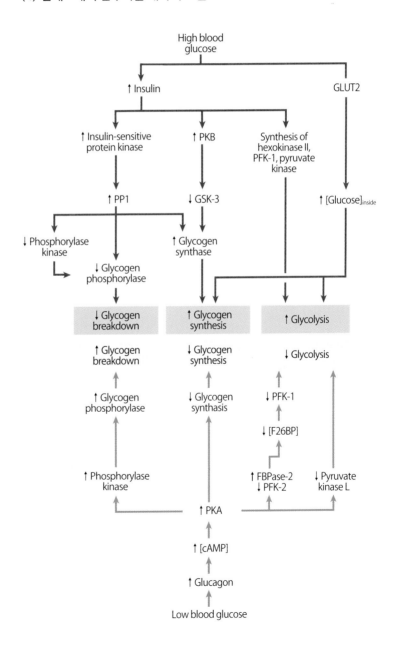

(5) 골격근

- 저장된 glycogen을 자신의 필요에 의해서만 사용
- Gluconeogenesis를 위한 효소의 결핍
- Glucagon 수용체 없음
- Pyruvate kinase M
  - PKA에 의해 인산화되지 않음 ⇒ cAMP 높아도 glycolysis 정지되지 않음
- 증가된 cAMP에 의해 인산화된 glycogen phosphorylase
  ⇒ glycogenolysis 활성화 ⇒ Glycolysis 촉진
- Insulin에 의해 PP1의 활성화, GSK3의 불활성화
  ⇒ Glycogenesis 촉진
- GLUT4
  - 평소에는 세포 내 vesicle에 고립되어 있음
  - Insulin에 의해 세포막으로 이동하여 glucose의 유입 증가시킴

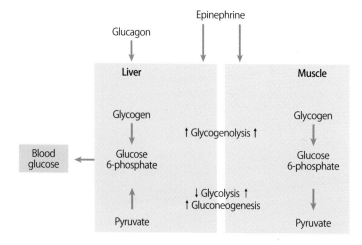

6. TCA 회로

Pyruvate의 산화 및 TCA 회로와 그 조절에 대해 학습한다.

citric acid cycle, Krebs cycle라고도 한다.

1) 세포 호흡의 단계

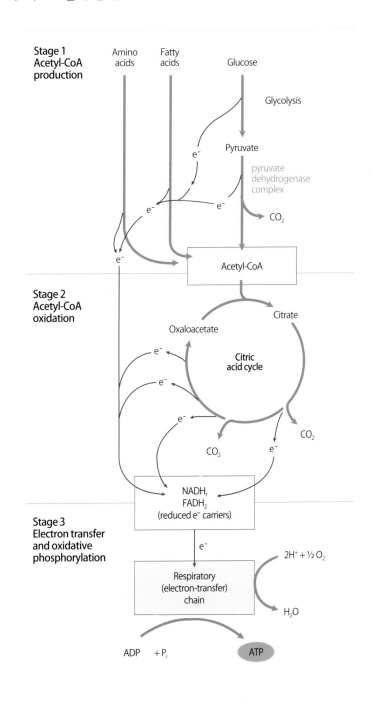

2) Acetyl-CoA의 생성 – pyruvate의 산화

(1) Pyruvate의 oxidative decarboxylation

- Pyruvate dehydrogenase complex (PDH complex)에 의해 산화
- Acetyl—CoA, NADH 생성

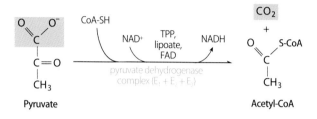

(2) PDH complex

- 5개의 coenzymes
  - TPP (thiamine pyrophosphate): thiamine
  - FAD (flavin adenine dinucleotide): riboflavin
  - CoA (coenzyme A): pantothenate
  - NAD (nicotinamide adenine dinucleotide): niacin
  - Lipoate
- 3개의 enzyme
  - E_1: Pyruvate dehydrogenase (active site가 TPP와 결합)
  - E_2: Dihydrolipoyl trancacetylase
  - E_3: Dihydrolipoyl dehydrogenase (active site가 FAD와 결합)
  - 2개의 조절 단백질(protein kinase, phosphoprotein phosphtase)
    도 존재

(3) PDH complex에 의한 pyruvate의 산화과정

- Pyruvate의 decarboxylation
  - Pyruvate에서 CO_2가 제거, 환원되며 TPP와 결합
  - Rate limiting step ⇒ 대사 과정이 조절되는 단계 ●⋯⋯⋯⋯ 전체 대사 과정의 속도를
- Hydoxyethyl의 산화   제한하는 단계를 조절함으
  - E_2의 lipoyl의 −S−S−를 2개의 −SH로 환원   로써 대사 과정을 조절하
- Acetyl—CoA의 생성   는 것이 효율적이다.
  - Acetyl이 우선 lipoyl의 −SH와 결합 형성 후 CoA와 에스터 교환
- Lipoyl이 환원된 −SH를 −S−S−로 재생되며 이 때 NADH 발생

(4) Substrate channeling

- 다단계 반응에서 중간체들이 enzyme complex에 항상 결합
  ⇒ 기질의 유효 농도는 높게 유지되고, 다른 효소로 기질이 유출되는
  것 방지
  ⇒ 반응이 효율적으로 진행됨

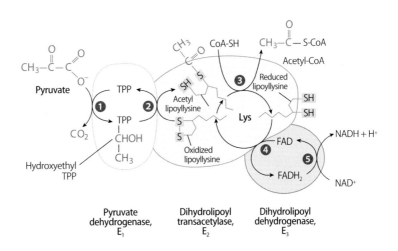

(5) PDH complex의 변이 or thiamine 결핍 식이

- Pyruvate를 정상적으로 acetyl−CoA로 전환 시키지 못함
  ⇒ 에너지를 충분히 생산하지 못함
- Beriberi (각기병)
  뇌의 에너지 대사에 영향으로 신경 기능 소실 가능
- Wernicke−Korsakoff syndrome
  - 알코올 중독자에서 잘 발생
  - 알코올의 섭취가 소장에서 thiamine을 비롯한 vitamin 섭취를 저해
  - Memory loss, confusion, paralysis

급성으로 발생한 것을 Wernicke encephalopathy, 만성으로 발생한 것을 Korsakoff syndrome이라고 하며 치료는 thiamine의 대량 투여이다. Wernicke에서는 대부분 가역적으로 회복되지만, Korsakoff에서는 상당수 비가역적이다.

3) TCA 회로의 반응

(1) TCA 회로를 고성하는 8단계 반응

- Citrate의 생성
  - Acetyl−CoA와 acetate의 반응 by citrate synthase
- Isocitrate의 생성
  - Citrate가 cis−aconitate 중간체를 거쳐 isocitrate로 이성질화 by
    aconitase

- α−ketoglutarate, NADH, CO_2의 생성
  - Isocitrate가 α−ketoglutarate로 산화되는 과정에서 CO_2와 NADH 발생 by isocitrate dehydrogenase
- Succinyl−CoA, CO_2의 생성
  - α−ketoglutarate가 산화되는 과정에서 CO_2 제거, succinyl−CoA 생성 by α−ketoglutarate dehydrogenase complex
- Succinate, GTP의 생성
  - Succinyl−CoA가 succinate로 전환되는 과정에서 GTP 생성 by succinyl−CoA synthetase

    생성된 GTP는 ATP로 전환됨

- Fumarate, $FADH_2$의 생성
  - Succinate가 fumarate로 산화되는 과정에서 $FADH_2$ 생성 by succinate dehydrogenase

    Synthase vs. synthetase – 반응에 ATP를 필요로 하는지에 차이가 있음. ATP를 필요로 하는 것이 synthetase

  - Succinate의 analog인 malonate에 의한 competitive inhibition ⇒ TCA 회로 저해

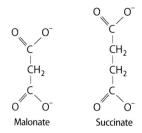

Malonate   Succinate

- Malate의 생성
  - Fumarate가 malate로 수화됨 by fumarase (fumarate hydratase)
- Oxaloacetate, NADH의 생성
  - Malate가 oxaloacdtate로 산화되며 NADH 생성 by malate dehydrogenase
- TCA 회로 반응의 요약
  - Acetyl−CoA 1 분자가 TCA 회로를 1 cycle 진행하게 되면
    ⇒ 1분자의 GTP (ATP), 3분자의 NADH, 1분자의 $FADH_2$ 생성
  - Glucose 1분자로부터 출발하면
    Glycolysis에서 ATP 2분자
    NADH 2분자
    Pyruvate의 산화에서 NADH 1×2=2분자

    Glycolysis에서 생성된 NADH는 mitochondria 내로 유입될 때 NADH 그대로 유입되는 경우도 있고, $FADH_2$로 바뀌어서 유입되는 경우도 있다.

TCA cycle에서 ATP (GTP) $1 \times 2 = 2$분자, NADH $3 \times 2 = 6$분자, $FADH_2$ $1 \times 2 = 2$분자 ⇒ 총 ATP 4분자, NADH 10분자, $FADH_2$ 2분자

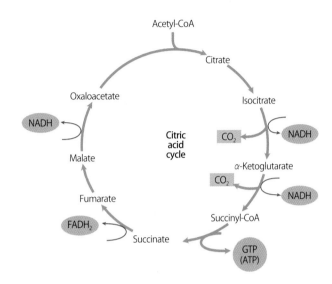

(2) Anaplerotic reactions

- Amphibolic pathway인 TCA 회로
  - Catabolism, anabolism 모두에 관여함
  - TCA 회로의 중간체들이 생합성 과정에 소모될 수 있음
    ⇒ TCA 회로가 계속 진행되려면 소모된 중간체의 보충이 필요
    ⇒ Anaplerotic reactions
- Anaplerotic reactions
  - Pyruvate carboxylase: 간, 신장
    Pyruvate + HCO_3^- + ATP ⇌ oxaloacetate + ADP + P_i
    prosthetic group으로 biotin (CO_2 carrier) 필요
  - PEP carboxykinase: 심장, 골격근
    PEP + CO_2 + GDP ⇌ oxaloacetate + GTP
  - PEP carboxylase: 고등식물, 효모, 세균
    PEP + HCO_3^- ⇌ Oxaloacetate + P_i
  - Maleic enzyme: 진핵생물과 세균에 널리 분포
    Pyruvate + HCO_3^- + NAD(P)H ⇌ Malate + $NAD(P)^+$

Gluconeogenesis에 관여
하는 효소

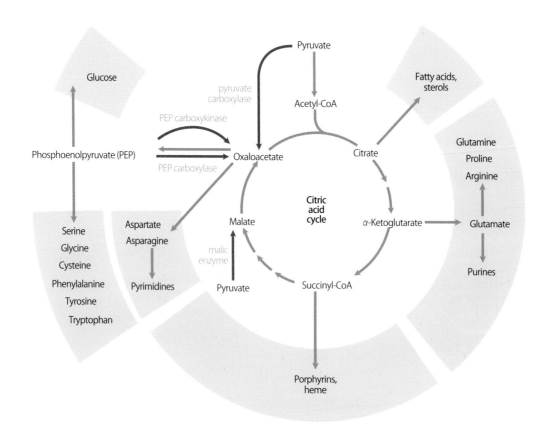

4) TCA 회로의 조절

(1) PDH complex에 대한 allosteric, covalent 조절

- Allosteric inhibitor .... Cell에 에너지가 풍부하다는 signal
  - Long-chain fatty acit, ATP, acetyl-CoA, NADH
- Allosteric activator .... Cell에 에너지가 부족하다는 signal
  - AMP, CoA, NAD^+
- Covalent modofication
  - Protein kinase: ATP에 의해 활성화되어 E_1을 인산화 ⇒ 불활성화
  - Phosphoprotein phosphatase을 통한 E_1의 인산 제거 ⇒ 활성화

(2) TCA 회로의 조절 단계

- Citrate synthase
  - Inhibitors: NADH, succinyl-CoA, citrate, ATP
  - Activators: ADP

- Isocitrate dehydrogenase
  - Inhibitors: ATP
  - Activators: ADP, Ca^{2+}
- α-ketoglutarate dehydrogenase
  - Inhibitors: succinyl-CoA, NADH
  - Activators: Ca^{2+}

(3) Pyruvate의 산화와 TCA 회로 조절의 요약

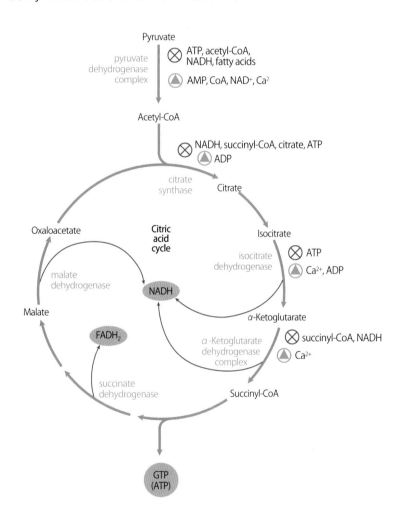

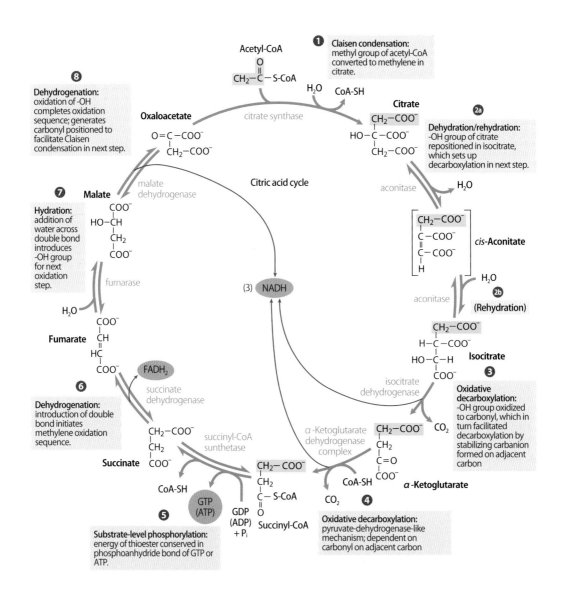

7. 산화적 인산화

마이토콘드리아 내막에서의 전자 전달과 ATP의 합성에 대해 학습한다.

1) 마이토콘드리아에서의 전자 전달 반응(산화-환원 반응)
(1) 마이토콘드리아의 구조
- Outer membrane
  - 작은 분자들 및 이온이 자유롭게 투과

- Inner membrane
  - 대부분의 작은 분자들 및 이온에 대해 비투과성
  - Respiratory electron carriers: Complex I–IV
  - ATP synthase
- Matrix
  - Glycolysis를 제외한 모든 연료의 산화 경로들이 일어나는 장소
  - TCA 회로, 지방산의 β–산화, 아미노산의 산화 등

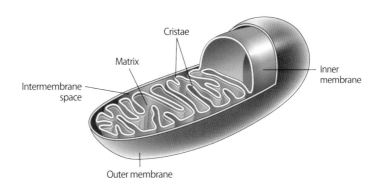

NADH, FADH2로부터 전자를 받아 O_2에 전달하며 intermembrane space에 H^+를 펌핑하여 electro-chemical gradient를 만들고, 이를 이용하여 ADP와 phosphate로부터 ATP를 합성한다.

- 산화적 인산화를 통한 ATP 합성의 개관

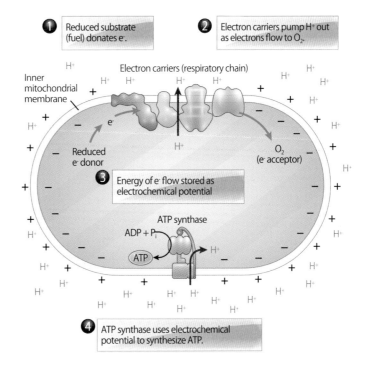

(2) 막에 결합되어 있는 전자 운반체

- Ubiquinone
  - Q 또는 coenzyme Q라고도 함
- Cytochrome
  - Heme (Fe^{2+} 포함)을 prosthetic group으로 지님
  - Mitochondria에는 세 종류의 cytochrome 존재 ⇒ 가시광선 흡수, 색깔
    ⇒ 각각 cytochrome a, b, c라고 하며 흡수하는 빛의 파장대가 다름
- Iron-sulfur protein
  - 무기 황 또는 Cys의 -SH와 결합하고 있는 Fe
    ⇒ Fe-S center
- 전자 전달 순서 및 전자 전달에 대한 억제제

(3) Multi-enzyme complex로 작용하는 전자 운반체

- Complex I
  - NADH에서 Ubiquinone(Q)으로
  - NADH: ubiquinone oxidoreductase
  - NADH + 5H$_N^+$ + Q → NAD$^+$ + QH$_2$ + 4H$_P^+$
  - NADH 1개당 4개의 양성자를 intermembrane space로 전달
  - 억제제: amytal (barbiturate계 약물), rotenone(살충제), piercidin A(항생제)
- Complex II
  - Succinate에서 ubiquinone (Q)으로
  - 양성자를 intermembrane space로 전달하지 못함
  - Succinate dehydrogenase●(TCA cycle의 enzyme)

TCA cycle에서 succinate를 fumarate로 전환시키는 효소이기도 하며 이 과정에서 FADH$_2$가 발생한다. 발생한 FADH$_2$는 Complex II에서 ubiquinone으로 전자를 전달한다.

- Succinate에서 O_2로 전자가 이동하여 ROS를 생성 ⇒ 계 밖으로의 전자 누출 억제
- Complex III
  - Ubiquinone (Q)에서 cytochrome c (Cyt c)로
  - Cytochrome bc_1 complex (ubiquinone:cytochrome c oxidore-ductase)
  - $QH_2 + 2cytc_1 + 2H_N^+ \rightarrow Q + 2cytc_1 + 4H_P^+$ ⇒ Q cycle
  - QH_2 1개당 4개의 양성자를 intermembrane space로 전달
- Complex IV
  - Cytochrome c에서 O_2로
  - Cytochrome oxidase
  - O_2를 H_2O로 환원
  - O_2: final electron acceptor
    O_2가 아닌 다른 물질이 final electron aceptor가 되면 ⇒ 무산소호흡
  - $4cytc + 8H_N^+ + O_2 \rightarrow 4cytc + 4H_P^+ + 2H_2O$
- 전자 전달 경로의 요약
  - 전체 반응: $NADH + H^+ + 0.5O_2 \rightarrow NAD^+ + H_2O$
  - NADH 1개당 총 10개의 양성자를 intermembrane space로 전달
  - $NADH + 11H_N^+ + 0.5O_2 \rightarrow NAD^+ + 10H_P^+ + H_2O$
  - $FADH_2$ 1개당 총 6개의 양성자를 intermembrane space로 전달
  - 양성자 전달에 의해 형성되는 proton-gradient
    ⇒ Proton-motive force 형성(농도차와 전압차)
    ⇒ 형성된 proton-motive force를 이용하여 ATP 합성
    ⇒ Chemiosmotic mechanism

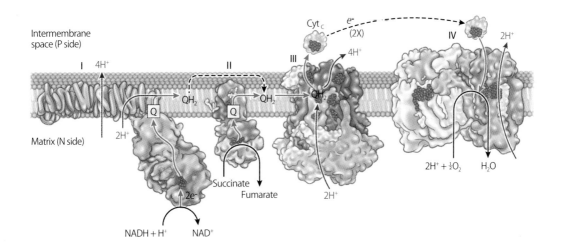

– Proton gradient (proteon–motive force)

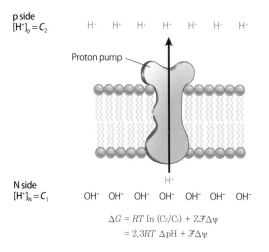

p side
$[H^+]_p = C_2$

Proton pump

N side
$[H^+]_N = C_1$

$$\Delta G = RT \ln (C_2/C_1) + Z\mathcal{F}\Delta\psi$$
$$= 2.3RT \, \Delta pH + \mathcal{F}\Delta\psi$$

- 전자 전달 과정에서 생성되는 ROS
  - $O_2 + e^- \rightarrow \cdot O_2^-$
  - 효소, 핵산, 막의 지질과 반응하여 손상을 일으킴
  - ROS에 의한 손상을 방지하기 위한 효소들이 존재
  - Superoxide dismutase $(2 \cdot O_2^- + 2H^+ \rightarrow H_2O_2 + O_2)$
  - Glutathione peroxidase $(H_2O_2 \rightarrow H_2O + 0.5O_2)$

Pentose phosphate pathway (82p) 참고

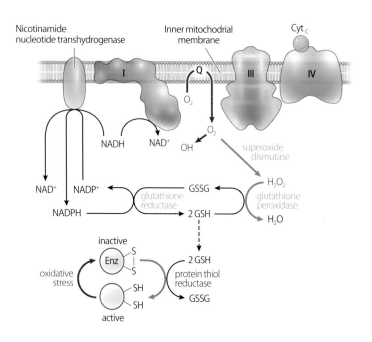

intermembrane space
와 matrix 간에 형성된
chemiosmotic gradient
를 통해 ADP와 phos-
phate로부터 ATP를 합성

2) ATP 합성

(1) Chemiosmotic model (화학삼투 모델)

- 화학삼투 모델

  – ATP 합성 반응: $ADP + P_i + nH_p^+ \rightarrow ATP + H_2O + nH_N^+$

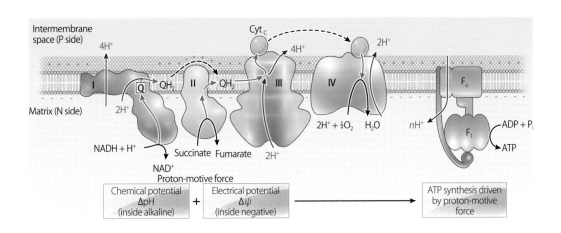

- Chemiosmotic coupling

  – 기질의 산화 + O_2의 소모 + ATP의 합성

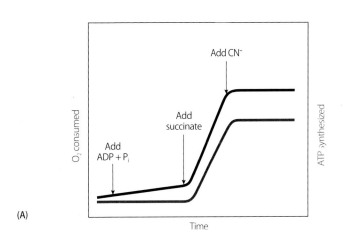

(A)

- Uncoupler

  – Proton-gradient를 제거 ⇒ 전자 전달이 ATP 합성으로 이어지지
  못함

  – 에너지는 소모되지만 ATP는 만들지 못한 결과 열이 방출됨

- Chemical uncoupler: 극성이 작아 마이토콘드리아 막을 관통,

  쉽게 확산 가능한 약산

  ex) DNP, FCCP 등

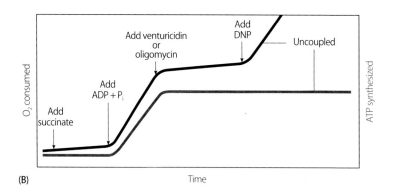

(B)

신생아 시기에 많이 존재함. 신생아 시기에는 근육의 shivering에 의한 열 생성이 어려우며, brown fat에서 열 생성을 통해 체온을 유지한다.

- Brown fat의 thermogenin (uncoupling protein 1, UCP1)

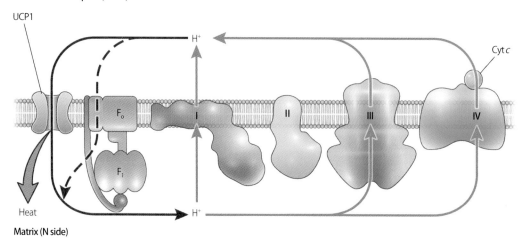

(2) ATP synthase

- 2개의 functional domain

  - F_0: ab_2c_n으로 구성됨

    proton이 지나가는 통로

  - F_1: 9개의 subunit ($\alpha_\beta\beta_\beta\gamma\delta\epsilon$)으로 구성됨

    실제 ATP 합성이 이루어지는 영역

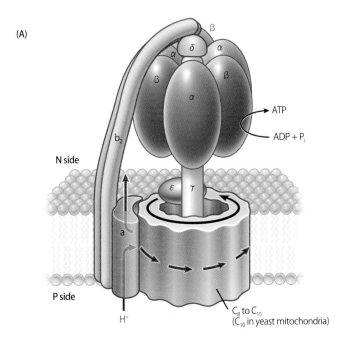

- β subunit
  - 각각 ATP 합성에 대한 catalytic site 보유
  - 3가지 다른 conformation으로 존재

    ATP와 친화도가 큰 conformation

    ADP와 친화도가 큰 conformation

    ATP, ADP 모두와 친화도가 작은 conformation

(B) Top view of F_1

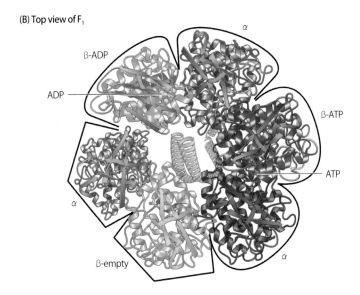

- Rotational catalysis
  - F_1을 구성하는 3개의 β subunit에 있는 active site에서 교대로 ATP를 합성
  - 양성자가 F_0 부위를 통과할 때 ATP synthase의 conformational change 유발
  - γ의 장축을 중심으로 회전이 일어남
    ⇒ 120° 회전 시마다 β subunit의 conformational change

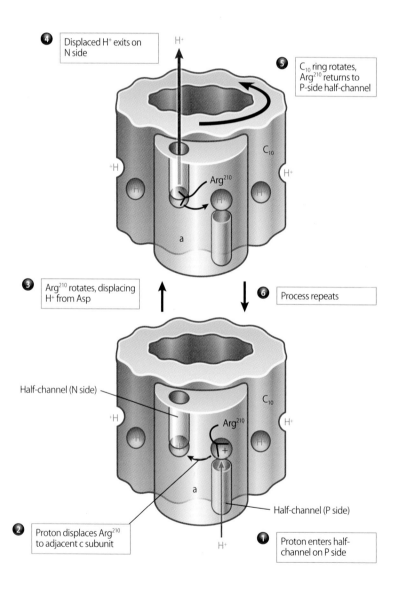

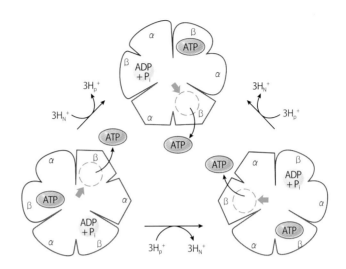

- Shuttle system
  - 세포질에서 glycolysis 결과 생성된 NADH를 마이토콘드리아 내부로 운반
  - Malate-aspartate shuttle – 간, 신장, 심장
    ⇒ NADH를 NADH로 전달

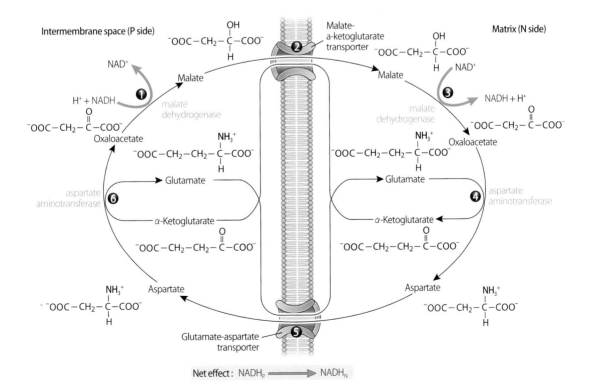

– Glycerol 3–phosphate shuttle: 골격근, 뇌

⇒ NADH를 FADH₂로 전달

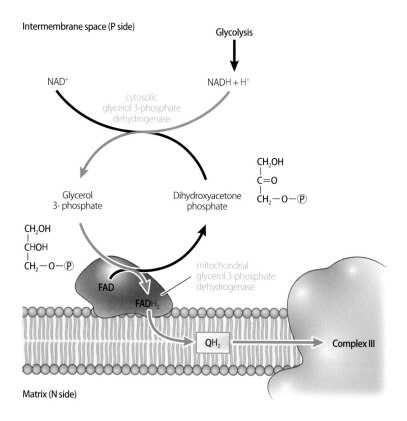

Intermembrane space (P side)

Glycolysis

• ATP 합성의 양적 관계

– 전자 전달을 통해 1분자의 ATP 합성에 필요한 양성자 수: 4개

⇒ NADH 1분자당 10개의 양성자 전달 ⇒ 2.5개의 ATP

⇒ FADH2 1분자당 6개의 양성자 전달 ⇒ 1.5개의 ATP

– 포도당 1분자당 생성되는 ATP의 분자수

과정	생성물	최종 ATP
Glycolysis	NADH 2개	3 or 5
	ATP 2개	2
Pyruvate의 산화	NADH 2개	5
TCA cycle	NADH 6개	15
	FADH₂ 2개	3
	GTP 2개 (ATP 2개)	2
포도당 1분자당 생성되는 ATP의 총량		30 or 32

기관에 따라 어떤 shuttle system을 이용하는가에 따라 최종적으로 생성되는 ATP의 수가 달라진다.

3) 산화적 인산화의 조절

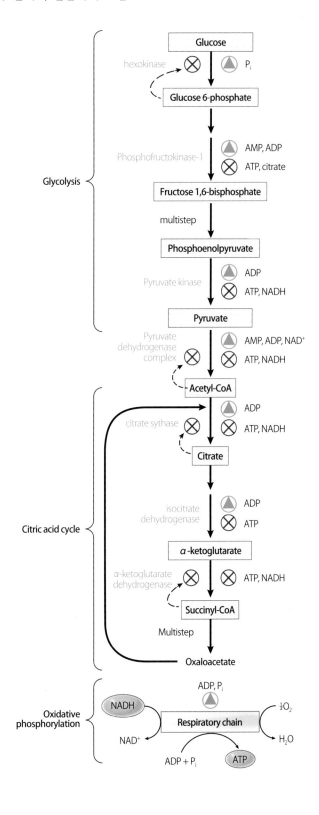

05 지질

1. 지질의 종류

지질의 종류를 학습한다.

1) 저장 지질
(1) 지방산

- 명명법
  - 탄소개수:이중결합개수($\Delta^{\text{이중결합위치}}$)

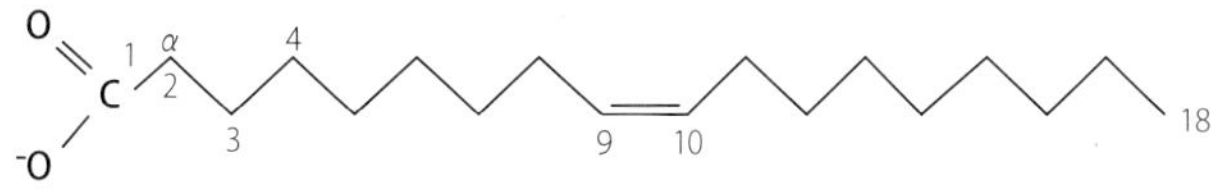

(A) 18:1($\triangle^9$) *cis*-9-Octadecenoic acid

  - ω-3 fatty acid: ω 탄소로부터 3-4번 사이에 이중결합 존재, 필수 지방산
  - ω-6 fatty acid: ω 탄소로부터 6-7번 사이에 이중결합 존재

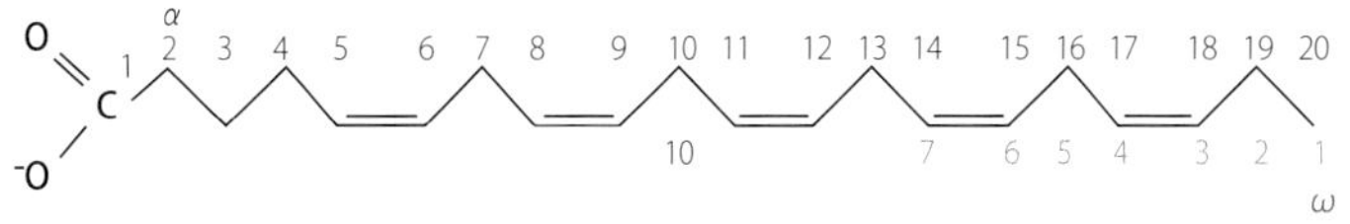

(B) 20:5($\triangle^{5,8,11,14,17}$) Eicosapentaenoic acid (EPA), an omega-3 fatty acid

- 녹는점
  - 탄화수소 사슬의 길이, 불포화도의 영향 받음

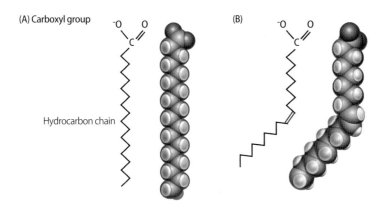

(A) Carboxyl group

Hydrocarbon chain

(B)

(C) Saturated fatty acids

(D) Mixture of saturated and unsaturated fatty acids

(2) TG (TAG, triglyceride, triacylglyceride)

- 지방산과 glycerol이 형성한 ester

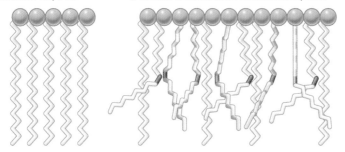

Glycerol

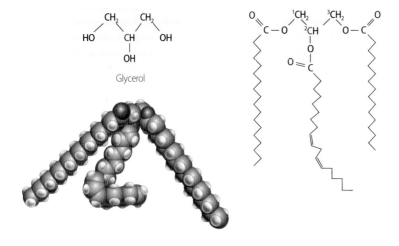

탄소 원자들이 탄수화물보
다 더 환원된 상태로 산화
될 때 더 많은 에너지를 방
출하게 된다.

- 에너지 저장 역할
  - 저장 연료로 다당류보다 유리함
  - 낮은 온도에 대비한 단열재 역할도 함: 바다표범, 물개, 펭귄 등

2) 막을 구성하는 지질
(1) 저장 지질과 막 지질의 몇 가지 흔한 형태

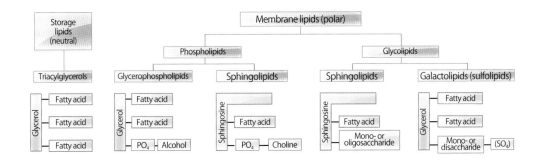

(2) Glycerophospholipid (phosphogluceride)

- Glycerol 3-phosphate의 phosphate group에 극성의 알코올이 결합한 형태

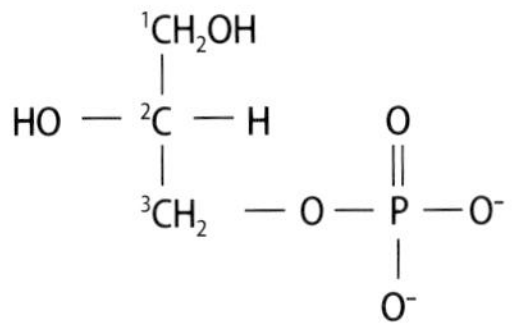

$$^1CH_2OH$$
$$HO - {}^2C - H \qquad O$$
$$\qquad\qquad\quad \parallel$$
$$^3CH_2 - O - P - O^-$$
$$\qquad\qquad\qquad | $$
$$\qquad\qquad\qquad O^-$$

L- Glycerol 3-phosphate

- 결합된 알코올의 종류에 따라 이름이 결정됨

Name of glycerophospholipid	Name of X-O	Formula of X	Net charge (at pH 7)
Phosphatidic acid	—	—H	-2
Phosphatidylethanolamine	Ethanolamine	$\overset{+}{N}H_3$	0
Phosphatidylcholine	Choline	N	0
Phosphatidylserine	Serine	H, O^-, $\overset{+}{N}H_3$	-1
Phosphatidylglycerol	Glycerol	HO H OH	-1
Phosphatidylinositol 4,5-bisphosphate	myo-Inositol 4,5-bisphosphate	HO OH OPO_3^{2-} OPO_3^{2-} OH	-4
Cardiolipin	Phosphatidyl-glycerol	HO H ... R^2 ... R^1	-2

(3) Sphingolipid

- sphingosine의 유도체
- Ceramide
  - Sphingosine의 2번 탄소의 $-NH_2$와 지방산이 amide를 형성한 구조
  - Sphingolipid의 기본적 구조 단위

- Sphingomyelin
  - Phosphatidylcholine과 유사한 구조
  - Neuron의 axon을 둘러싸 절연시키는 myelin sheath에 많이 존재

- Glycosphigolipid
  - Cerebroside: ceramide에 1개의 당이 연결된 것
  - Globoside: 전하를 갖지 않는 glycosphingolipid로 2개 이상의 당을 포함
  - Gangloiside: sphingolipid의 가장 복잡한 형태로, 복합 올리고당을 극성 머리에 갖고 있음

Name of sphingolipids	Name of X-O	Formula of X
Ceramide	—	—H
Sphingomyelin	Phosphocholine	$-\overset{\overset{O}{\parallel}}{\underset{\underset{O^-}{\mid}}{P}}-O-CH_2-CH_2-\overset{+}{N}(CH_3)_3$
Neutral glycolipids Glucosylcerebroside	Glucose	(glucose 구조식)
Lactosylceramide (a globoside)	Di-, tri-, or tetrasaccharide	
Ganglioside GM2	Complex oligosaccharide	

- 세포 표면의 sphingolipid 차이에 의해 ABO 혈액형이 결정됨

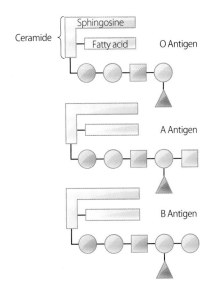

(4) Sterol

- 3개의 6탄소 고리와 1개의 5탄소 고리의 융합된 형태
- Cholesterol: 극성 머리와 무극성 몸통으로 구성된 amphipathic 분자, 막을 구성

- Bile acid

Taurocholic acid
(a bile acid)

3) 기타 지질

(1) Eicosanoid

- Paracrine hormone .... 합성된 곳 주위의 인근 세포에만 작용을 나타내는 물질
  - 생식 기능, 염증 반응, 발열, 통증, 혈액 응고, 혈압 조절, 위산 분비 등에 관여
  - Arachidonate로부터 유래
  - NSAIDs: arachidonate로부터 eicosanoids의 형성을 저해 .... 151p 참고
- Prostaglandin
  - 분만/월경 시 자궁 수축 유발
  - 특정 기관으로의 혈류 흐름 조절
  - 수면-각성 주기에 영향을 줌
  - 발열, 염증, 통증에 관여

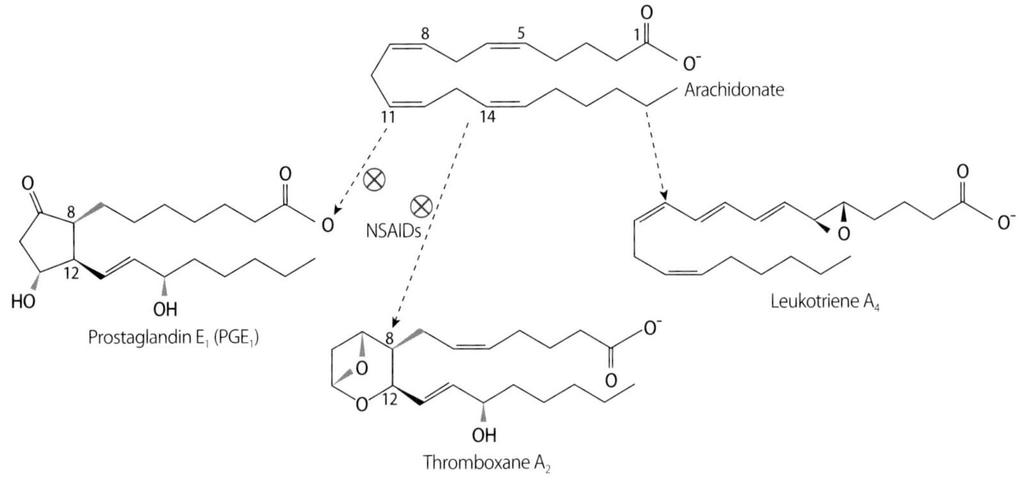

Prostaglandin E$_1$ (PGE$_1$)

Arachidonate

Leukotriene A$_4$

Thromboxane A$_2$

- Thromboxanes
  - 혈소판에서 생성되며, 혈액 응고에 관여
- Leukotrienes
  - Leukotrienes D$_4$: 기관지 평활근 수축 유발, 천식 발작과 관련

(2) Steroid hormones

- Cholesterol의 유도체

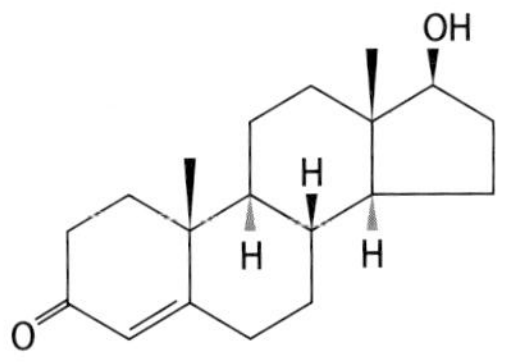

Testosterone

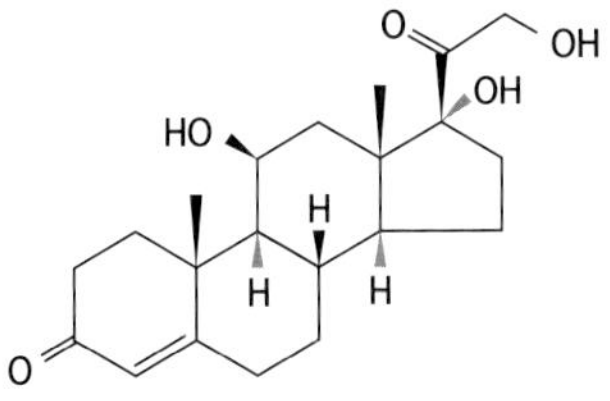

Cortisol

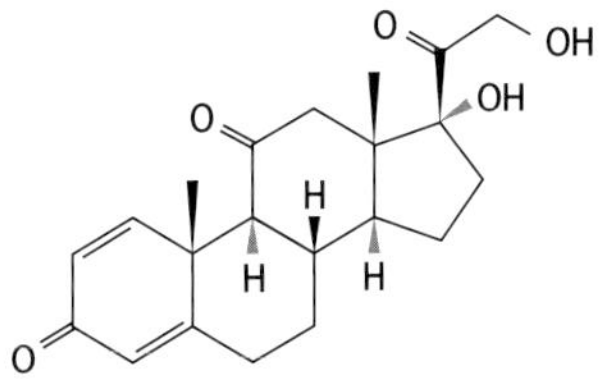

Prednisone

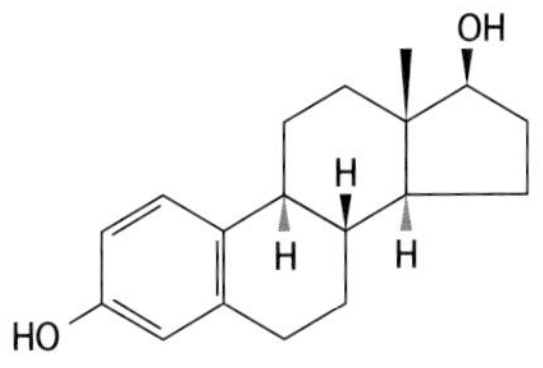

β-Estradiol

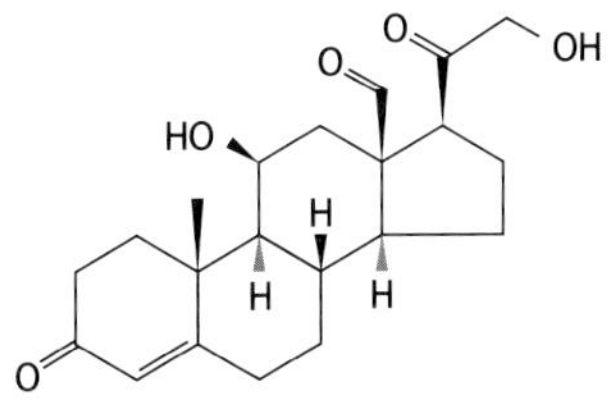

Aldosterone

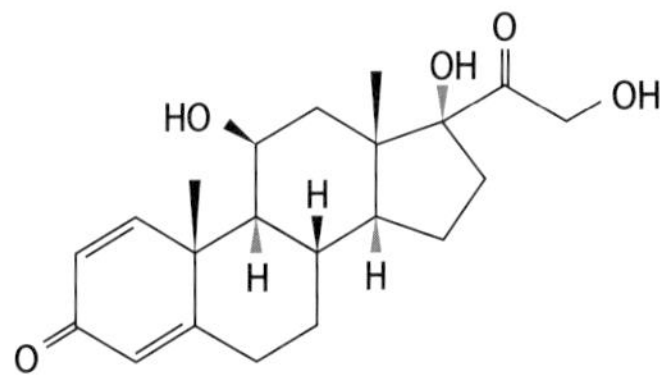

Prednisolone

2. 생체막

Lipid bilayer로 구성되는 생체막의 구조와 막의 유동성에 대해 학습한
다.

1) 생체막의 구조
(1) 생체막의 구조

- Fluid mosaic model

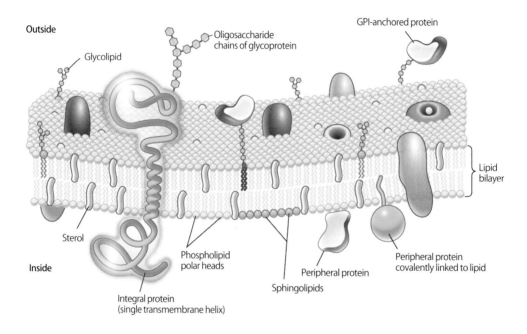

(2) Lipid bilayer - 생체막의 기본적인 구조 요소

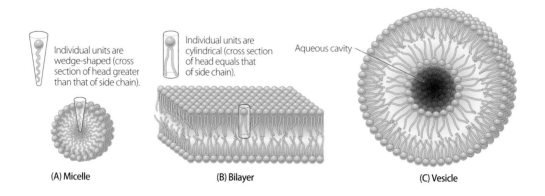

(3) 막 단백질

- Integral membrane protein
  - Lipid bilayer에 견고하게 결합되어 있음
  - 계면활성제, 유기용매 같은 소수성 상호작용 방해하는 시약들에 의해 분리 가능
- Peripheral membrane protein
  - Integral protein의 친수성 영역이나 막 지질과 정전기적 상호작용, 수소결합을 통해 막에 부착
  - 정전기적 상호작용을 방해하거나 수소결합을 깨는 정도의 약한 처리로도 분리 가능
- Amphitropic protein
  - 막과 가역적으로 결합
  - 막, 세포질 모두에서 발견됨

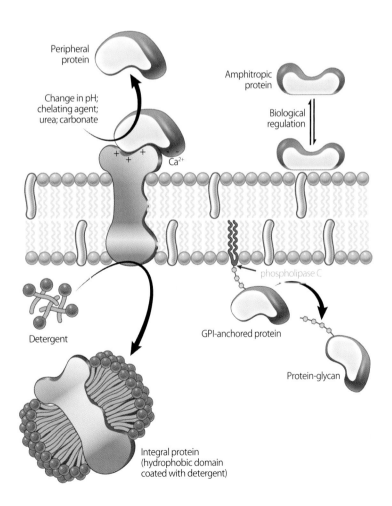

(4) 아미노산 서열로 integral membrane protein의 topology 추정

- Hydropathy index(소수성 지표) – 막 관통 부위는 hydropathy index가 높음

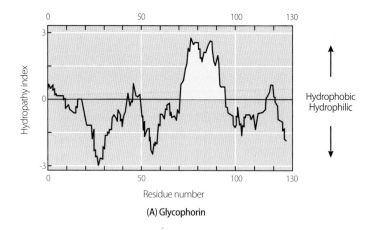

(A) Glycophorin

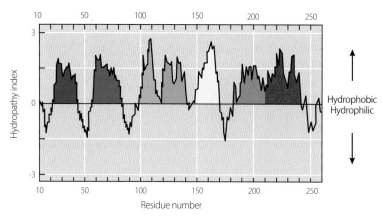

(B) Bacteriorhodopsin

2) 생체막의 동역학
(1) Lipid의 이동

(A) Uncatalyzed transbilayer ("flip-flop") diffusion

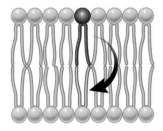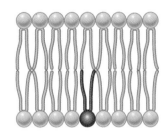

Very slow
(t½ in days)

(B) Uncatalyzed lateral diffusion

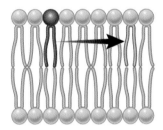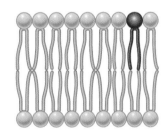

Very fast
(1 μm/s)

(C) Catalyzed transbilayer translocations

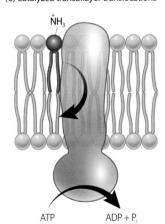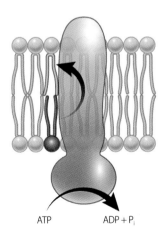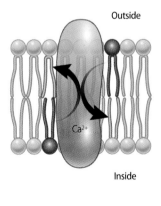

Outside

Inside

ATP   ADP + P$_i$

ATP   ADP + P$_i$

Flippase

(P-type ATPase)
moves PE and PS
from outer to
cytosolic leaflet

Floppase

(ABC transporter)
moves phospholipids
from cytosolic to
outer leaflet

Scramblase

moves lipids in
either direction,
toward equilibrium

(2) 막의 유동성

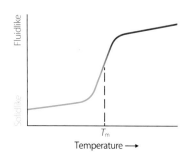

- cis 이중결합의 존재는 지방산의 사슬들이 높은 질서로 채워지는 것
  을 방해하게 되어 T_m이 낮아지게 된다.

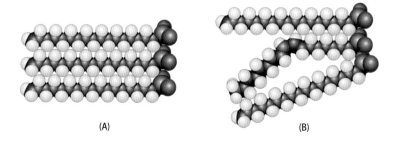

(A)　　　　　　　　　(B)

(3) Lipid rafts

- Sphingolipid와 cholesterol의 밀집 지역
- Cell-signaling과 관련됨

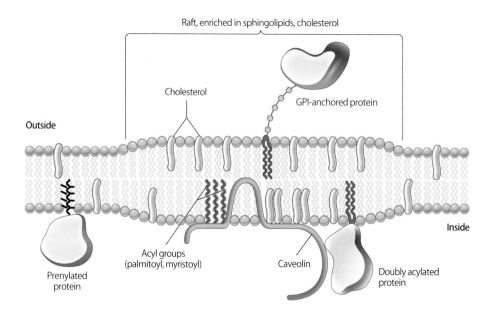

3. 지방산의 분해

지방산의 분해 대사에 대해 학습한다.

1) 지방의 소화, 동원, 운반
(1) 지방의 소화와 흡수

- chylomicron: 흡수된 지방이 cholesterol, 특정 단백질들과 lipoprotein(지단백) 응집체를 형성한 것

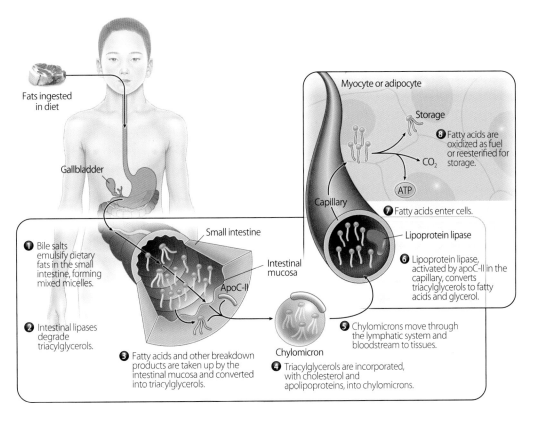

- apolipoprotein: 혈중의 지질 결합 단백질
  - TG, 인지질, 콜레스테롤, 콜레스테롤 에스터 등을 운반하는 역할
- lipoprotein: apolipoprotein + lipid
  - 중심부에 소수성 지질, 표면에 단백질의 친수성 곁사슬 및 지질의 머리 부분이 배열

very high density lipoprotein
very low density lipoprotein

  - 밀도에 따라 VLDL-VHDL으로 분류
- lipoprotein lipase: apo C-II에 의해 활성화돼 TG를 지방산과 glycerol로 분해

- chylomicron remnant: 대부분의 TG가 제거되고, 콜레스테롤, apolipoprotein만 남아 있는 입자

(2) Hormone에 의한 저장된 TG 동원

- Lipid droplet
  - TG가 세포 내에 저장되는 형태
  - 표면이 perilipins이라는 단백질에 쌓여 있음
- 지방조직에 저장된 TG의 동원
  - 혈당 저하 → glucagon → … → fatty acid와 glycerol로 분해되며, 유리된 지방산은 serum의 albumin에 결합된 상태로 운반
  - Glycerol은 Glycerol-3-phosphate, dihydroxyacetone phosphate를 거쳐서 Glyceraldehyde 3-phosphate로 전환됨 ⇒ glycolysis

적절하지 않은 시점에 지질이 동원되는 것을 막는 역할

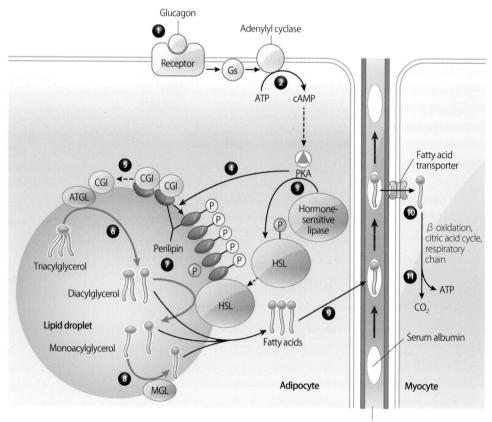

(3) Fatty acid의 활성화 및 mitochondria로의 운반

- Carnitine shuttle
  - Acyl-CoA synthetase

    Fatty acid + CoA + ATP → fatty acyl-CoA + AMP + 2phosphate

  - Carnitine acyltransferase 1 (carnitine palmitoyltransferase 1, CPT1)

    Acyl-CoA는 carnitine과 결합한 뒤, acyl-carnitine/carnitine cotransporter에 의해 matrix로 들어감

  - Carnitine acyltransferase 2 (carnitine palmitoyltransferase 2, CPT2)

    matrix에서 acyl-CoA와 free carnitine으로 전환

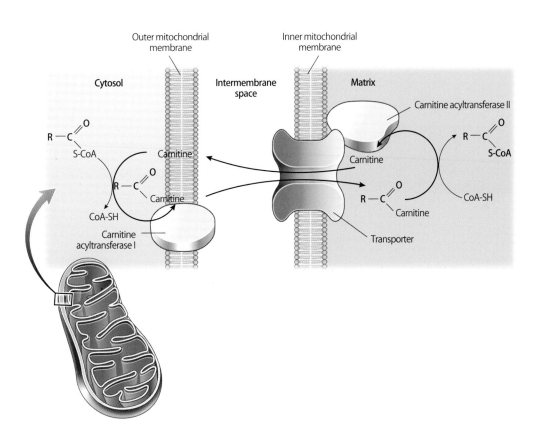

2) 지방산의 산화
(1) 지방산 분해의 단계
- Stage 1: β-oxidation
  - 지방산의 carboxyl terminal로부터 탄소 2개씩 절단하며 acetyl Co-A, NADH, $FADH_2$ 생성
- Stage 2: TCA cycle
- Stage 3: respiratory chain

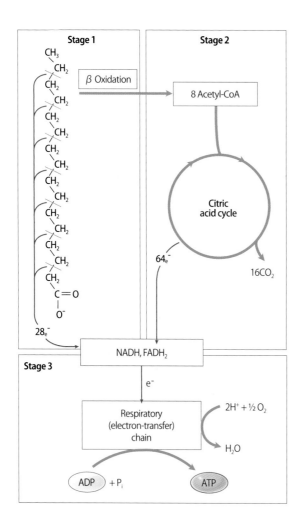

(2) β-산화의 4단계
- Acyl-CoA dehydrogenase
  - Acyl-CoA를 산화시키면서 FAD가 $FADH_2$로 환원됨
  - trans-Δ^2-enoyl-CoA 형성

- Enoyl−CoA hydratase
  − trans−Δ^2−enoyl−CoA의 수화
  − β−hydroxyacyl−CoA 형성
- β−hydroxyacyl−CoA dehydrogenase
  − β−hydroxyacyl−CoA가 산화되며 NAD^+가 NADH로 환원
  − β−ketoacyl−CoA 형성
- acyl−CoA acetyltransferase (thiolase)
  − β−ketoacyl−CoA와 CoA−SH가 반응
  − acetyl−CoA와 탄소 사슬이 2개 짧아진 acyl−CoA 형성

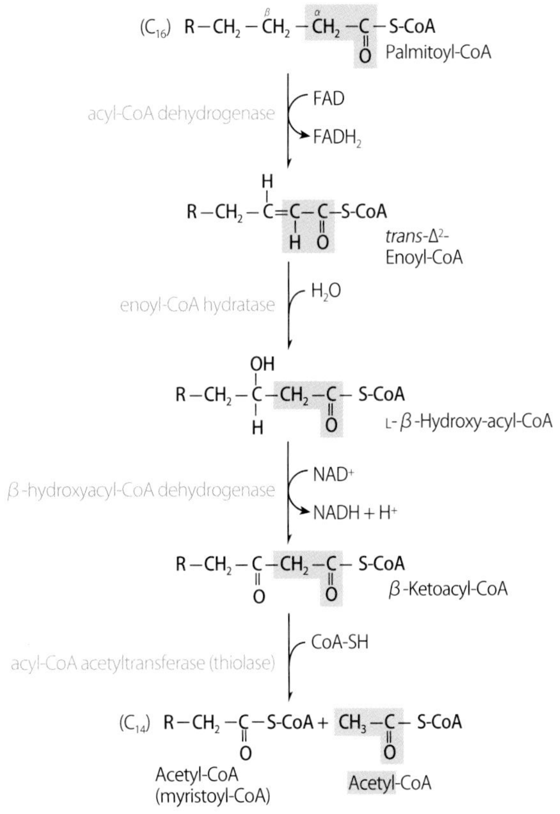

- Palmitoyl−CoA 1분자당 8개의 acetyl−CoA, 7개의 NAD, 7개의 $FADH_2$ 발생
  ⇒ TCA cycle, 전자전달까지 거치면 1분자당 108분자의 ATP 생성

(3) 불포화 지방산의 산화: 2가지 enzyme을 더 필요로 함

- Δ^3, Δ^2-enoyl-CoA isomerase

  - cis 형태의 acyl-CoA를 trans 형태로 전환

대부분의 불포화 지방산은 cis 형태를 갖지만, enoyl-CoA hydratase는 trans 형태와만 반응하므로, cis 형태를 trans 형태로 전환시켜주는 과정이 필요하다.

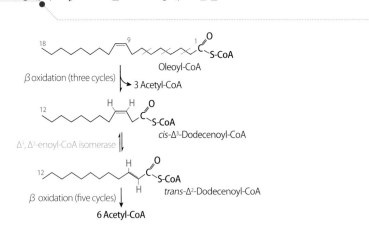

- 2,4-dienoyl-CoA reductase

  - Polyunsaturated fatty acid의 산화에서 추가적으로 필요한 en-zyme

  - 환원 과정에 NADPH를 사용함

β-산화를 거치면서 cis-Δ^3, cis-Δ^6 구조가 형성된 것을 trans-Δ^2 형태로 전환하는 과정에 Δ^3, Δ^2-enoyl-CoA isomerase와 함께 필요함

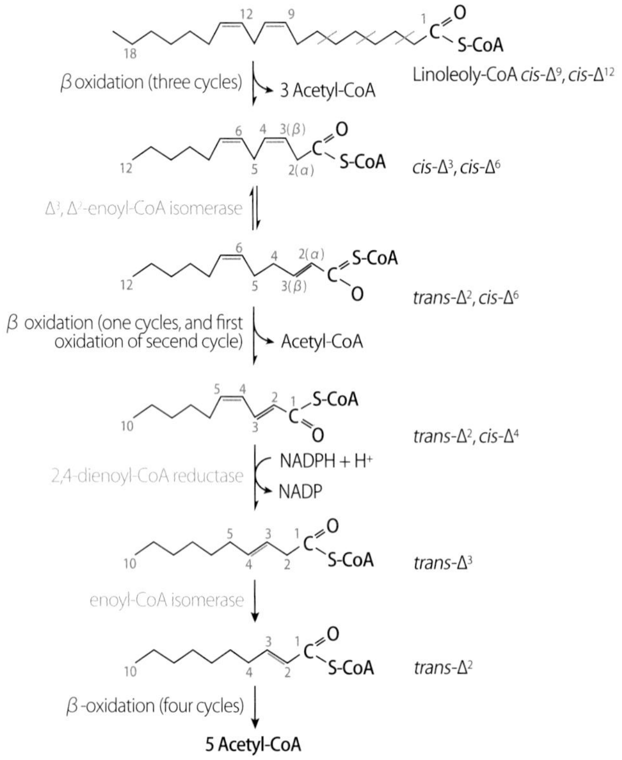

(4) 홀수-사슬 지방산의 산화 - 3가지 추가적인 enzyme

- 홀수-사슬 지방산의 β-산화가 끝나면 propionyl-CoA가 남게 됨
- Propionyl-CoA carboxylase

  Propionyl-CoA에 CO_2를 붙여 D-methylmalonyl-CoA 생성
- Methylmalonyl-CoA epimerase

  D-methylmalonyl-CoA를 L-methylmalonyl-CoA로 전환
- Methylmalonyl-CoA mutase

  L-methylmalonyl-CoA를 succinyl-CoA로 전환 ⇒ TCA cycle로 유입

(5) 지방산 산화의 조절

long-chain fatty acid 생합성의 최초 중간체로 탄수화물을 충분히 섭취할 경우 농도가 증가함

- Carnitine acyltransferase 1

  Malonyl-CoA에 의해 억제 ⇒ 지방산 산화보다는 지방산 합성
- β-hydroxyacyl-CoA dehydrogenase

  [NADH]/[NAD$^+$]비가 높을 때 억제

cell 내에 에너지가 충분하다는 signal

- Acyl-CoA acetyltransferase (thiolase)

  Acetyl-CoA 농도가 높을 때 억제

(6) Peroxisome에서의 β-산화

- Mitochondria에서 일어나는 것과 달리 첫 단계에서 생성된 $FADH_2$가
  직접 O_2에 전자를 전달, H_2O_2를 생성함

  생성된 H_2O_2는 catalase에 의해 H_2O와 O_2로 분해됨

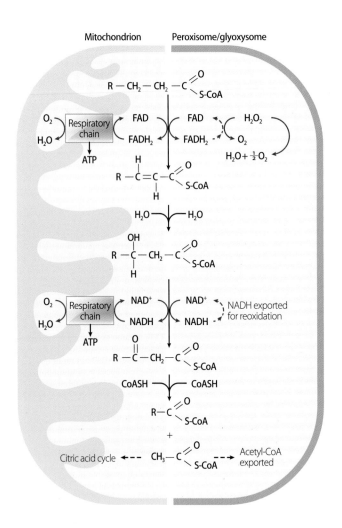

3) 케톤체
(1) 케톤체

- Acetyl-CoA의 TCA cycle이 아닌 다른 fate – 케톤체의 생성

(2) 간에서 생성되어 다른 기관의 연료로 수송됨

β−산화 마지막 단계의 역
반응

- 케톤체의 생성
  - Acetyl−CoA 2 분자의 축합으로 acetoacetyl−CoA 생성 by thiolase
  - Acetoacetyl−CoA가 acetyl−CoA와 축합하여 HMG−CoA 생성
    by HMG−CoA synthase
  - HMG−CoA의 acetoacetate로 분해 by HMG−CoA lyase
  - Acetoacetate decarboxylase에 의해 acetone 생성
  - D−β−hydroxybutyrate dehydrogenase에 의해 D−β−hydroxy−
    butyrate 생성

- 연료로서 케톤체의 사용
  - 간을 제외한 다른 모든 조직에서 연료로 사용 가능
  - D−β−hydroxybutyrate로부터 acetoacetate 형성 by D−β−hy−
    droxybutyrate dehydrogenase
  - Acetoacetate가 succinyl−CoA로부터 CoA 전달받아 acetoace−
    tyl−CoA 형성 by β−ketoacyl−CoA transferase

– acetoacetyl-CoA가 2분자의 acetyl-CoA로 분해됨 by thiolase

$$CH_3-\overset{\overset{OH}{|}}{\underset{\underset{H}{|}}{C}}-CH_3-C\overset{O}{\underset{O^-}{\diagup}}$$ D-β-hydroxybutyrate

D-β-hydroxybutyrate dehydrogenase $\quad$ NAD$^+$ $\rightarrow$ NADH + H$^+$

$$CH_3-\overset{\overset{O}{\|}}{C}-CH_2-C\overset{O}{\underset{O^-}{\diagup}}$$ Acetoacetate

β-ketoacyl-CoA transferase $\quad$ Succinyl-CoA $\rightarrow$ Succinate

$$CH_3-\overset{\overset{O}{\|}}{C}-CH_2-C\overset{O}{\underset{S\text{-}CoA}{\diagup}}$$ Acetoacetyl-CoA

thiolase $\quad$ CoA-SH

$$CH_3-C\overset{O}{\underset{S\text{-}CoA}{\diagup}} \quad + \quad CH_3-C\overset{O}{\underset{S\text{-}CoA}{\diagup}}$$
2 Acetyl-CoA

(3) 당뇨병, 기아 상태에서 케톤체의 과잉 생성

• 기아 상태에서 gluconeogenesis에 의한 TCA cycle의 중간체가 고갈
  – Acetyl-CoA로부터 케톤체를 생성하게 됨

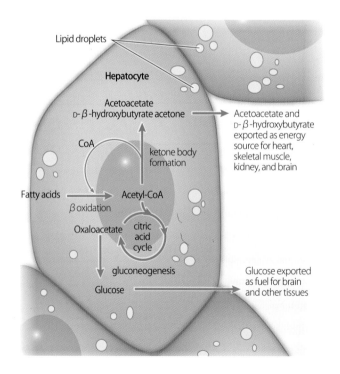

- 조절되지 않는 당뇨병
  - 지방산이 acetyl-CoA로 분해는 되지만, TCA cycle 중간체 고갈로 TCA cycle로 진행되지 못하고 acetyl-CoA가 축적됨
  - 축적된 acetyl-CoA는 케톤체를 생성하게 되고
  - 생성된 케톤체가 간외 조직에서 산화될 수 있는 한계를 넘어서게 되면
  - Acetoacetate, D-β-hydroxybutyrate의 혈중 농도 상승으로 혈액의 pH 감소
    ⇒ Diabetic ketoacidosis (DKA) 발생

4. 지질의 생합성

지질의 합성 대사에 대해 학습한다.

1) 지방산과 eicosanoids의 생합성
(1) Malonyl-CoA의 합성
- 지방산 합성의 개입 단계: rate-limiting step
- Acetyl-CoA와 HCO_3^-의 반응 by acetyl-CoA carboxylase
  - 비가역 과정
  - Coenzyme으로 biotin을 필요로 함

Malonyl-CoA

(2) Fatty acid synthase
- 축합-환원-탈수-환원, 일련의 4단계 반응의 반복되며 탄소 사슬이 2개씩 연장됨
  - Final product는 C 개수 16인 palmitate
  - 환원 과정에서 NADPH 사용: NADPH는 malic enzyme이나 PPP에서 생성됨

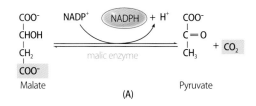

(A)

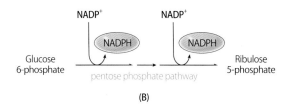

(B)

- −8acetyl−CoA + 7ATP + 14NADPH + 14H$^+$ → palmitate
  + 8CoA + 7ADP$^+$ + 7Phosphate + 14NADP$^+$ + 6H$_2$O

- Acyl carrier protein (ACP)
  - prosthetic group으로 4'−phosphopantetheine을 가지고 있음
  - 지방산 합성의 중간체들과 결합하여 운반하는 역할

- 여러 개의 active site를 가지고 있음
  - Malonyl/acetyl−CoA ACP transferase (MAT) ⇒ acetyl과 mal−
    onyl의 활성화
    Acetyl−CoA의 acetyl이 ACP로 전달 → β−ketoacyl−ACP synthase의
    −SH로 전달
    Malonyl−CoA의 malonyl이 ACP로 전달

β−ketoacyl−ACP synthase (KS) ⇒ 축합(condensation)
β−ketoacyl−ACP reductase (KR) ⇒ 카보닐의 환원(reduction)
β−hydroxyacyl−ACP dehydratase (DH) ⇒ 탈수(dehydration)
Enolyl−ACP reductase (ER) ⇒ 이중결합의 환원(reduction)
ACP에 결합된 butyryl이 KS의 −SH로 전달 ⇒ next cycle의 시작
MAT ⇒ ACP와 다음 malonyl의 결합

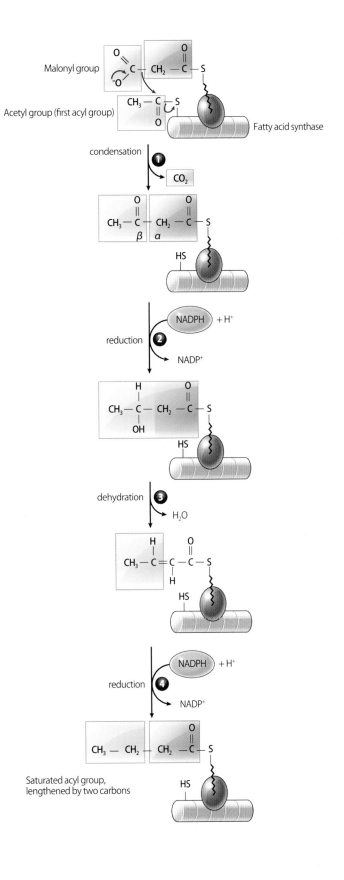

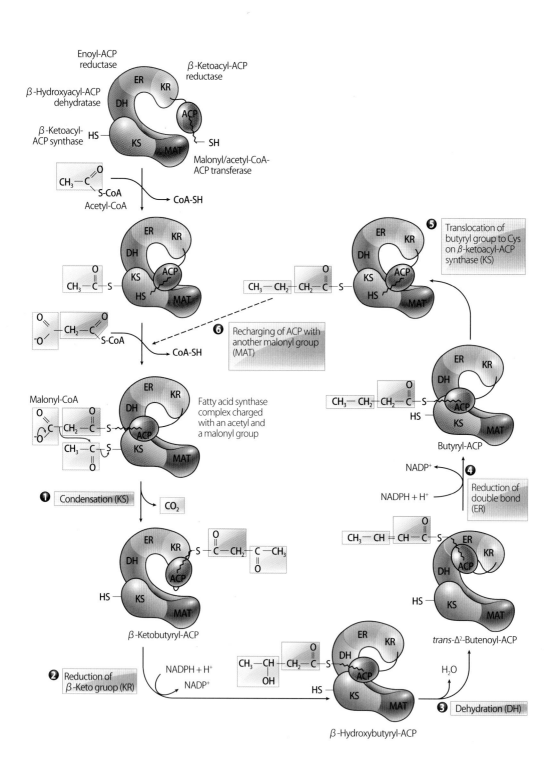

(3) 아세트산의 mitochondria 밖으로의 운반

- Acetyl-CoA는 mitochondria 내막을 직접 통과하지 못함
- Shuttle system

TCA cycle의 첫 단계 반응

- Acetyl-CoA와 oxaloacetate의 반응으로 citrate 생성 by citrate synthase
- Citrate의 cytosol로의 이동 by citrate transporter

재생성된 acetyl-CoA는 fatty acid 합성에 사용됨

- Citrate가 oxaloacetate와 acetyl-CoA로 분해 by citrate lyase
- Oxaloacetate의 malate로의 환원 by malate dehydrogenase
- Malate의 matrix로 이동 by malate-α-ketoglutarate transporter
- Malate가 oxaloacetate로 산화 by malate dehydrogenase
- cytosol의 malate는 NADPH를 생성하며 pyruvate로 전환 by malic enzyme

TCA 회로의 anaplerotic reaction 중 하나임

- Pyruvate가 matrix로 이동 by pyruvate transporter
- Pyruvate가 oxaloacetate로 전환 by pyruvate carboxylase

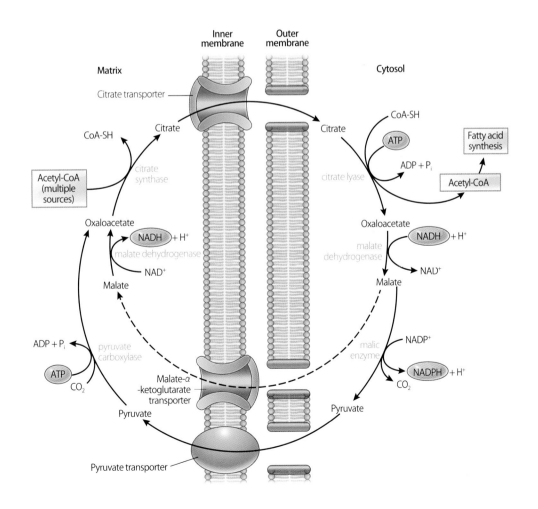

(4) 지방산 합성의 조절

- 지방산 합성의 rate-limiting step: acetyl-CoA carboxylase
  - Inhibitor: palmitoyl-CoA
  - Activator: citrate ● ·········· PFK-1도 inactivation시켜 glycolysis 억제한다.
  - Covalent modification: glucagon, epinephrine에 의해 인산화되어 불활성화 → 지방산 합성을 억제 ········· ATP를 생산하라는 signal ⇒ 지방산 합성은 억제

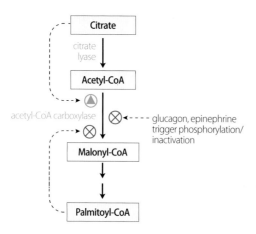

(5) Palmitate로부터 long-chain fatty acid의 합성

- Fatty acid elongation system

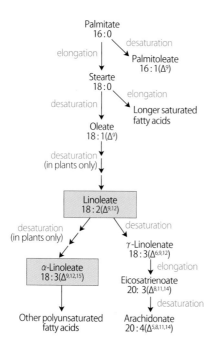

(6) 지방산의 불포화 반응 – mixed-function oxidase

- Fatty acyl-CoA desaturase
  - mixed-function oxidase의 일종

$O_2 + 2H^+ +$

$CH_3-(CH_2)_n-CH_2-CH_2-(CH_2)_m-C\begin{smallmatrix}O\\\\S\text{-CoA}\end{smallmatrix}$

Saturated fatty acyl-CoA

fatty acyl-CoA desaturase

$2H_2O +$

$CH_3-(CH_2)_n-CH=CH-(CH_2)_m-C\begin{smallmatrix}O\\\\S\text{-CoA}\end{smallmatrix}$

Monounsaturated fatty acyl-CoA

2 Cyt b_5 (Fe^{2+}) — Cyt b_5 reductase (FAD) — NADPH $+H^+$

2 Cyt b_5 (Fe^{3+}) — Cyt b_5 reductase (FADH$_2$) — NADP$^+$

- 포유류: ω-3 (α-linolenate), ω-6 (linoleate) fatty acid를 합성하지 못함
  - 식품을 통해 섭취해야 함 ⇒ 필수 지방산(essential fatty acid)

(7) Eicosanoids의 합성

- COX (cyclooxygenase)에 의한 prostaglandin, thromboxane의 합성
  - COX-1: 위의 뮤신 분비를 조절하는 prostaglandin 합성을 담당
  - COX-2: 염증, 발열, 통증 등을 조절하는 prostaglandin 합성을 담당
  - NSAIDs (non-steroidal anti-inflammatory drugs): COX를 억제 ⇒ 진통제

진통 효과는 COX-2의 억제에 의해 나타나며, COX-1도 같이 억제하게 되어 위궤양을 유발할 수 있다. COX-2 selective inhibitor는 COX-2만을 선택적으로 억제함으로써 위궤양을 유발하지 않는다.

Phospholipid containing arachidonate

phospholipase A₂ — Lysophospholipid

COO⁻ Arachidonate 20:4(Δ^{5,8,11,14})

cyclooxygenase activity of COX — 2O$_2$ ⊗ ◄--- aspirin, ibuprofen

COO⁻ PGG$_2$ / OOH

peroxidase activity of COX

COO⁻ PGH$_2$ / OH

Other prostaglandins   Thromboxanes

- Lipoxygenase: leukotriene의 합성

알레르기 및 염증반응의
조절인자로 작용

Arachidonate

lipoxygenase O$_2$ O$_2$ lipoxygenase

HOO

12-Hydroperoxyeicosatetraenoate
(12-HPETE)

OOH

5-Hydroperoxyeicosatetraenoate
(5-HPETE)

multistep

Other leukotrienes

multistep

Leukotriene A$_4$ ⟶ LTC$_4$ ⟶ LTD$_4$
(LTA$_4$)

2) TG의 생합성

(1) TG와 glycerophospholipid 합성의 common precursor - phosphatidic acid

- Glycerol 3-phosphate dehydrogenase
  - Dihydroxyacetone phosphate를 NADH 이용하여 glycerol 3-phosphate로 환원
- Glycerol kinase
  - Glycerol을 직접 인산화
- Acyl-CoA synthetase
  - ATP를 이용하여 fatty acid와 CoA로부터 acyl-CoA 합성
- Acyl transferase
  - Glycerol 3-phosphate에 acyl group을 전달 ⇒ phosphatidic acid 합성

diacylglycerol 3-phosphate
Glycerol이 2개의 fatty acid, 1개의 phosphate와 결합한 형태

Glucose

glycolysis

CH_2OH
$C=O$
$CH_2-O-\overset{\overset{O}{\|}}{\underset{\underset{O^-}{}}{P}}-O^-$

Dihydroxyacetone
phosphate

CH_2OH
$CHOH$
CH_2OH

Glycerol

NADH $+$ H$^+$

glycerol 3-phosphate
dehydrogenase

ATP

glycerol kinase

NAD$^+$

ADP

CH_2OH
$HO-C-H$
$CH_2-O-\overset{\overset{O}{\|}}{\underset{\underset{O^-}{}}{P}}-O^-$

L-Glycerol 3-phosphate

R^1-COO^-

CoA-SH

ATP

acyl-CoA synthetase

$R^1-\overset{\overset{O}{\|}}{C}-S\text{-}CoA$

AMP $+$ PP$_i$

acyl transferase

CoA-SH

R^2-COO^-

CoA-SH

ATP

acyl-CoA synthetase

$R^2-\overset{\overset{O}{\|}}{C}-S\text{-}CoA$

AMP $+$ PP$_i$

acyl transferase

CoA-SH

$R^2-\overset{\overset{O}{\|}}{C}-O-\overset{\displaystyle CH_2-O-\overset{\overset{O}{\|}}{C}-R^1}{\underset{\displaystyle CH_2-O-\overset{\overset{O}{\|}}{P}-O^-}{C-H}}$

Phosphatidic acid

- Phosphatidic acid phosphatase
  - phosphatidic acid에서 phosphate를 떼어내 1,2-diacylglycerol 생성
  - 생성된 1,2-diacylglycerol에 acyl group 전달하여 TG 합성 by acyl transferase

$$CH_2-O-\overset{\overset{\displaystyle O}{\|}}{C}-R^1$$
$$CH\ -O-\overset{\overset{\displaystyle O}{\|}}{C}-R^2 \quad \text{Phosohatidic acid}$$
$$CH_2-O-\overset{\overset{\displaystyle O}{\|}}{\underset{\underset{\displaystyle O^-}{|}}{P}}-O^-$$

phosphatidic acid phosphatase (lipin)

attachment of head group
(serine, choline, ethanolamine, etc.)

$$CH_2-O-\overset{\overset{\displaystyle O}{\|}}{C}-R^1$$
$$CH\ -O-\overset{\overset{\displaystyle O}{\|}}{C}-R^2$$
$$CH_2OH$$
1,2-Diacylglycerol

acyl transferase

$$R^3-\overset{\overset{\displaystyle O}{\|}}{C}$$
$$\diagdown S\text{-CoA}$$
$$\rightarrow \text{CoA-SH}$$

$$CH_2-O-\overset{\overset{\displaystyle O}{\|}}{C}-R^1$$
$$CH\ -O-\overset{\overset{\displaystyle O}{\|}}{C}-R^2$$
$$CH_2-O-\overset{\overset{\displaystyle O}{\|}}{P}-O-\boxed{\text{Head group}}$$
$$O^-$$
Glycerophospholipid

$$CH_2-O-\overset{\overset{\displaystyle O}{\|}}{C}-R^1$$
$$CH\ -O-\overset{\overset{\displaystyle O}{\|}}{C}-R^2$$
$$CH_2-O-\overset{\overset{\displaystyle O}{\|}}{C}-R^3$$
Triacylglycerol

(2) 호르몬에 의한 TG 생합성의 조절

- Insulin: 당이 TG로 전환되는 것을 촉진
- DM 환자: 당으로부터 fatty acid 합성이 잘 되지 않고, 생성된 acetyl-CoA의 누적 ⇒ 케톤체 생성 증가

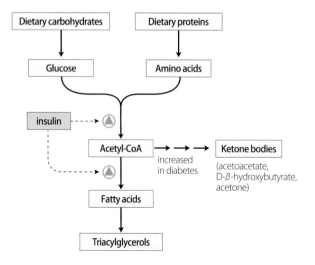

- Glucagon, epinephrine: 지방조직으로부터 지방산의 유리, gluco-neogenesis를 촉진하고 glycolysis를 억제함

(3) 지방조직에서의 glyceroneogenesis

- Glyceroneogenesis
  - Gluconeogenesis의 단축된 형태
  - Pyruvate로부터 glycerol이 합성되는 과정
  - T2DM과 관련됨

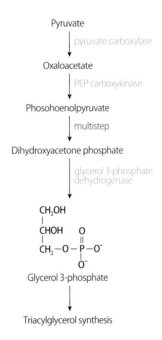

- Glyceroneogenesis의 조절
  - PEP carboxykinase의 활성에 의한 조절
  - Cortisol: 간과 지방조직에서 PEP carboxykinase의 양을 다른 방향으로 조절
    간 ⇒ PEP carboxykinase 발현 증가 ⇒ gluconeogenesis, glyceroneo-genesis 촉진
    지방 ⇒ PEP carboxykinase 발현 감소 ⇒ glyceroneogenesis 억제 ⇒ 혈중 fatty acid 증가
  - Thiazolidinedione에 의한 glyceroneogenesis의 조절
    - 혈중 fatty acid 감소시켜 insulin 감수성 증가

당뇨에 사용하는 약의 한 카테고리

– 지방조직에서 PEP carboxykinase 발현 증가 ⇒ glyceroneogen-
esis 증가 ⇒ TG 합성 증가, 혈중 free fatty acid 감소

3) 막 인지질의 생합성
(1) 인지질의 합성 경로
- 기본 뼈대 분자(glycerol, sphingosin)의 합성
- 기본 뼈대에 지방산의 ester 또는 amide 형성
- 기본 뼈대에 친수성 머리 부분이 phosphodiester 형성
- 머리 부분의 전환/교체를 통한 최종적인 인지질 합성

(2) 머리 부분의 부착
- Phosphodiester로 부착되는 머리 부분

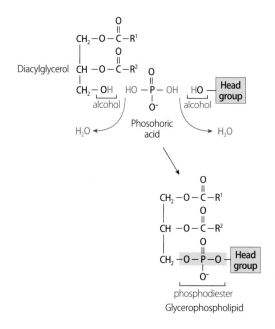

- 극성 머리 부분의 활성화: CDP (cytidine diphosphate)의 부착
- 진핵 세포가 phosphodiester를 형성하는 2가지 방법
  - CDP-diacylglycerol이 먼저 형성된 후 머리 부분의 –OH와 결합
    하여 CMP 제거
  - CDP가 극성 머리 부분에 결합 후, 1,2-diacyl glycerol과 결합하여
    CMP 제거

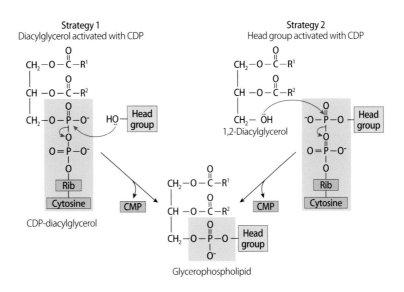

Strategy 1
Diacylglycerol activated with CDP

CDP-diacylglycerol

Strategy 2
Head group activated with CDP

1,2-Diacylglycerol

Glycerophospholipid

4) Cholesterol과 그 유도체의 합성
(1) Cholesterol의 합성

$3CH_3 — COO^-$ Acetate

❶

$^-OOC — CH_2 — \overset{\overset{\displaystyle CH_3}{|}}{\underset{\underset{\displaystyle OH}{|}}{C}} — CH_2 — CH_2 — OH$ Mevalonate

❷

$CH_2 = \overset{\overset{\displaystyle CH_3}{|}}{C} — CH_2 — CH_2 — O — \overset{\overset{\displaystyle O}{\|}}{\underset{\underset{\displaystyle O^-}{|}}{P}} — O — \overset{\overset{\displaystyle O}{\|}}{\underset{\underset{\displaystyle O^-}{|}}{P}} — O^-$

isoprene

Activated isoprene

❸

Squalene

❹

HO

Cholesterol

• Step 1: Acetate로부터 mevalonate의 합성
  - 2분자의 acetyl−CoA가 축합되어 acetoacetyl−CoA 형성 by acetyl−CoA acetyl transferase
  - Acetoacetyl−CoA와 acetyl−CoA의 축합으로 HMG−CoA 형성 by HMG−CoA synthase
  - HMG−CoA가 mevalonate로 환원 by HMG−CoA reductase
    ⇒ rate−limiting step

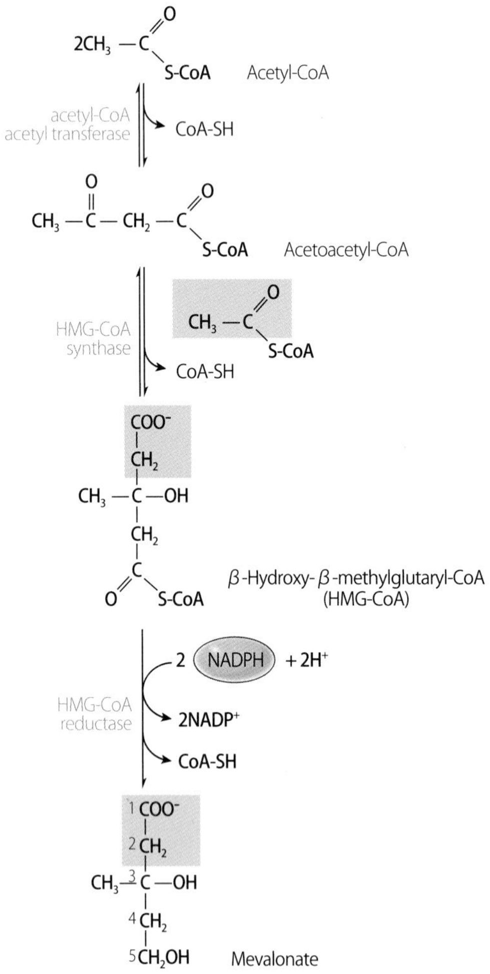

• Step 2: mevalonate가 activated isoprene으로 전환

– 3분자의 ATP에서 3개의 phosphate가 mevalonate로 전달된 후, phosphate와 CO_2가 제거되며 activated isoprene 형성함

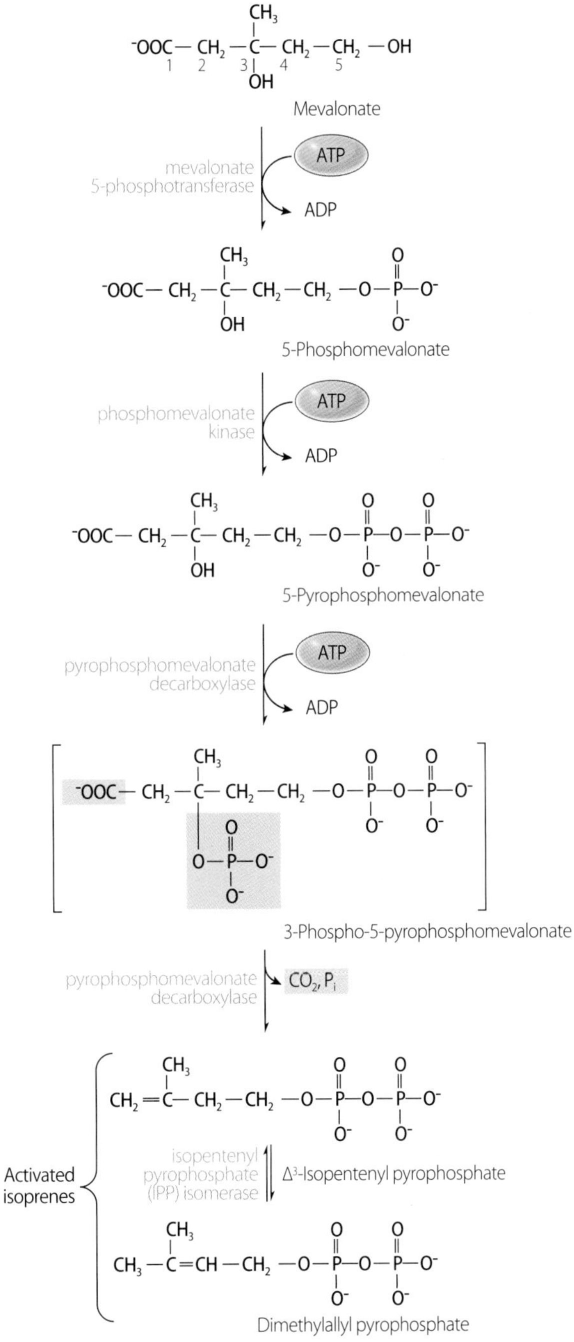

• Step 3: activated isoprene 6개의 축합으로 squalene 형성

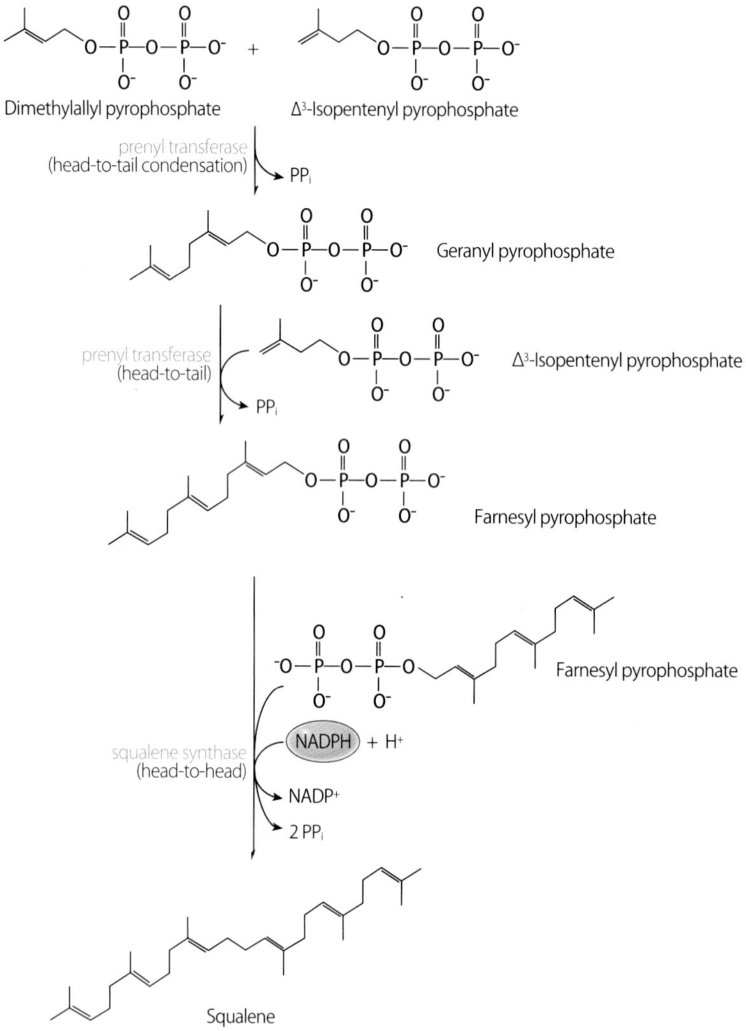

Dimethylallyl pyrophosphate   Δ³-Isopentenyl pyrophosphate

prenyl transferase
(head-to-tail condensation)   PP$_i$

Geranyl pyrophosphate

prenyl transferase
(head-to-tail)   Δ³-Isopentenyl pyrophosphate

PP$_i$

Farnesyl pyrophosphate

Farnesyl pyrophosphate

squalene synthase
(head-to-head)   NADPH + H$^+$

NADP$^+$

2 PP$_i$

Squalene

• Step 4: squalene에서 4개의 고리를 갖는 steroid 핵으로 전환

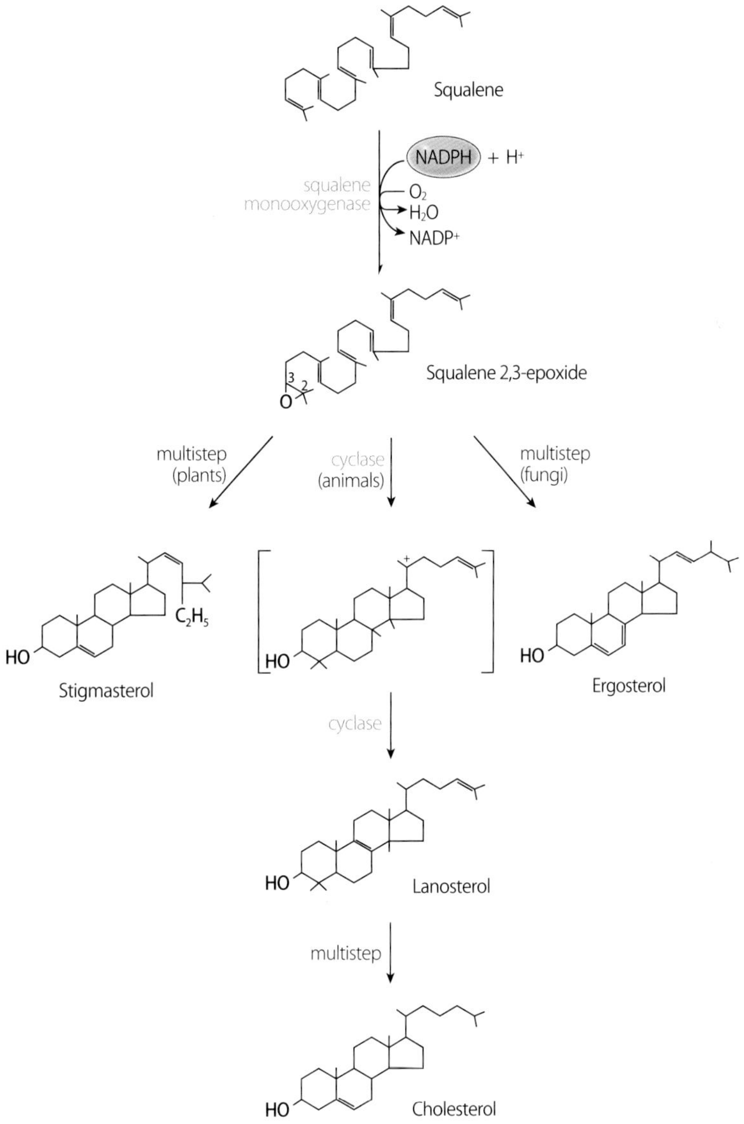

(2) Cholesterol의 운반: lipoprotein

- Lipoprotein
  - 혈장 내에서 lipid가 운반되는 형태
  - apolipoprotein + phospholipid, cholesterol, TG, …   _lipoprotein에서 lipid를 제외한 단백질 부분_
  - Lipid와 protein이 결합하는 비율에 따라 chylomicron, VLDL, LDL, HDL
- Exogeneous pathway
  - Chylomicron이 lymphatic system을 통해 Lt. subclavian vein 통해 혈중으로 유입
  - Capillary의 lipoprotein lipase에 의해 free fatty acid를 조직에 공급
  - Chylomicron remnant – 혈류를 타고 간으로 운반
    → 간에서 cholesterol을 내놓고 lysosome에 의해 분해됨
- Endogenous pathway
  - 간에서 TG, cholesterol ester로 전환, 특이적인 apolipoprotein과 결합 VLDL 형성
    → 혈류를 통해 근육, 지방조직으로 운반
  - capillary의 lipoprotein lipase에 의해 VLDL에서 free fatty acid를 유리시킴
    → 지방세포: fatty acid를 흡수하여 TG 재합성
    → 근육세포: 에너지원으로 사용
  - VLDL에서 TG의 content가 감소하면 IDL을 거쳐 LDL이 됨   _atherosclerosis와 관련됨_
  - LDL: cholesterol을 macrophage로 전달 → foam cell 형성
  - 말초 조직에서 섭취되지 않은 LDL은 간으로 돌아와서 LDL receptor에 의해 섭취됨
- Reverse cholesterol transport
  - HDL
    → 간, 소장에서 만들어지는 작은 입자
    → 단백질이 많고 소량의 cholesterol 함유, cholesterol ester는 없음
  - 미성숙(새로 만들어진) HDL은 cholesterol이 풍부한 간외 조직으로부터 cholesterol을 섭취 → 성숙 HDL 형성
  - 성숙한 HDL은 간으로 복귀하여 cholesterol을 SR-BI에 내려놓음   _세포막에 존재하는 scavenger receptor_
- Enterohepatic pathway (enterohepatic circulation)
  - Bile을 통해 소장으로 분비 후 대부분이 재흡수   _소화기 생리학 참고_
  - Portal vein을 통해 간으로 가서 재사용됨

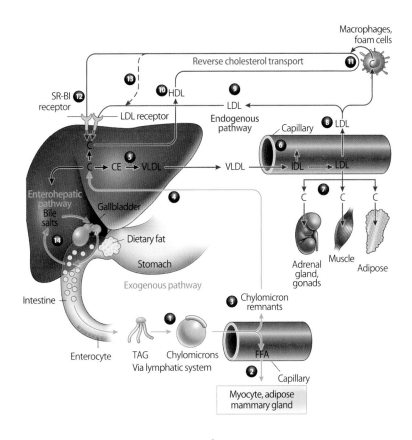

(3) Cholesterol의 생합성과 수송의 조절

- Cholesterol 합성의 rate-limiting step – HMG-CoA reductase

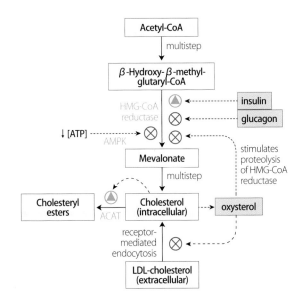

- HMG–CoA reductase 분자들의 숫자 조절
  - 유전자 전사의 조절
  - SREBP (sterol regulatory element–binding protein)에 의해 조절됨

(4) Cholesterol의 유도체들

- Bile salts

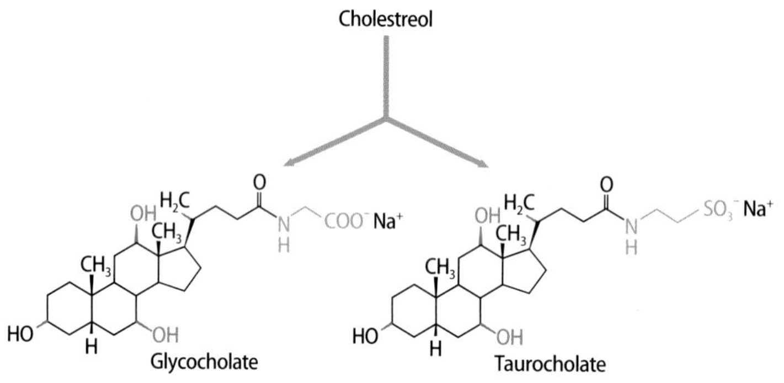

- Steroid hormones

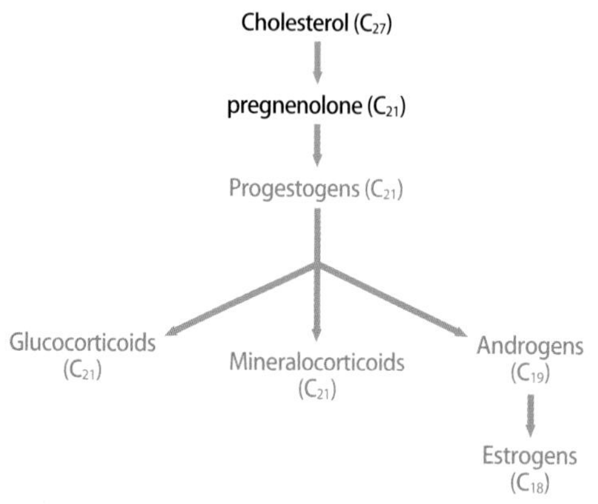

아미노산 대사와 대사의 통합

1. 아미노기의 대사 운명

대사과정에서 아미노기가 전달되는 과정을 학습한다.

1) 아미노산의 catabolism의 개관
(1) 아미노산이 산화되어 분해되는 경우
- 세포 단백질의 정상적인 합성과 분해과정 중, 분해된 단백질에서 유리되지만 새로운 단백질 합성에 필요하지 않은 아미노산
- 섭취된 아미노산이 단백질 합성을 위한 요구량을 초과했을 때
- 기아 상태, 탄수화물이 없거나 적절히 이용될 수 없을 때

(2) 아미노산의 catabolism의 개관
- 질소 대사에서 중요한 역할을 하는 아미노산 – Glu, Gln, Ala, Asp
  - Glu, Gln ⇒ α-ketoglutarate
  - Ala ⇒ pyruvate
  - Asp ⇒ oxaloacetate
    ⇒ 쉽게 TCA 회로의 중간체로 전환이 가능함

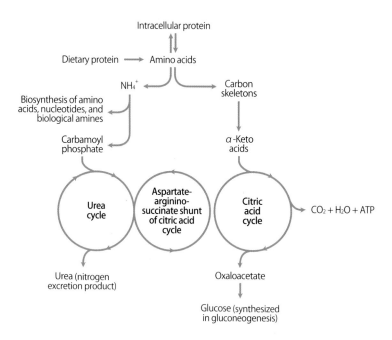

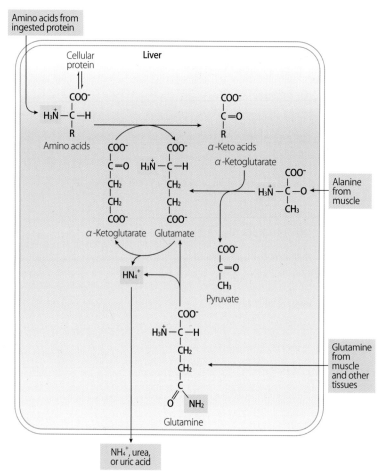

2) 아미노기의 전달

(1) Pyridoxal phosphate (PLP)와 아미노기의 전달

- aminotransferase (transaminase)
  - 간으로 이동된 아미노산의 아미노기를 제거
  - α-ketoglutarate에 아미노기를 전달하여 Glu 생성하고, 해당 아미노산은 α-keto acid가 됨
  - Glu: 생합성 과정, 질소 노폐물 제거 과정에서 아미노기 공여자 역할

COO⁻
|
C=O
|
CH₂
|
CH₂
|
COO⁻

α-Ketoglutarate

H₃N⁺—C—H
COO⁻
|
CH₂
|
CH₂
|
COO⁻

L-Glutamate

PLP
aminotransferase

H₃N⁺—C—H
COO⁻
|
R

L-Amino acid

COO⁻
|
C=O
|
R

α-Keto acid

- PLP (pyridoxal phosphate)
  - Aminotransferase의 prosthetic group

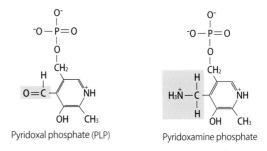

Pyridoxal phosphate (PLP)　　　Pyridoxamine phosphate

(2) 간에서 암모니아를 방출하는 glutamic acid

- Glutamine dehydrogenase에 의한 oxidative deamination
  - 탄소와 질소대사의 중요 교차지점에서 작용
  - activator: ADP/inhibitor – GTP

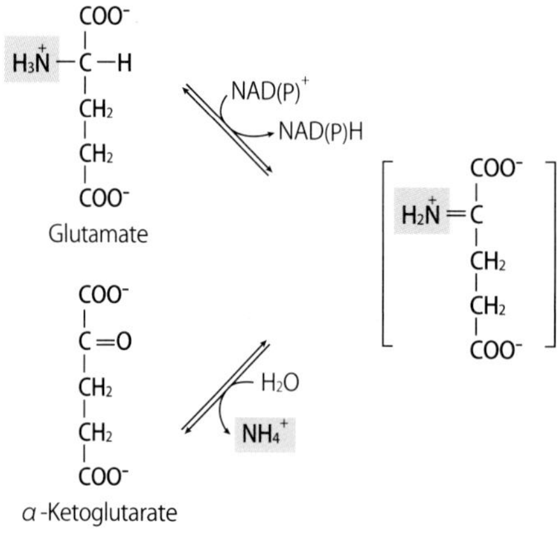

(3) 혈류에서 암모니아를 운반하는 glutamine

- Glutamine synthetase
  - 1단계: Glu와 ATP가 반응하여 γ-glutamyl phosphate 형성
  - 2단계: γ-glutamyl phosphate가 암모니아와 반응하여 Gln과 무기 인산 생성
    ⇒ 독성이 없는 Gln 형태로 암모니아를 운반
- Glutaminase
  - 장/간/신장 조직의 mitochondria에서 Gln은 glutaminase에 의해 Glu와 암모늄으로 전환됨

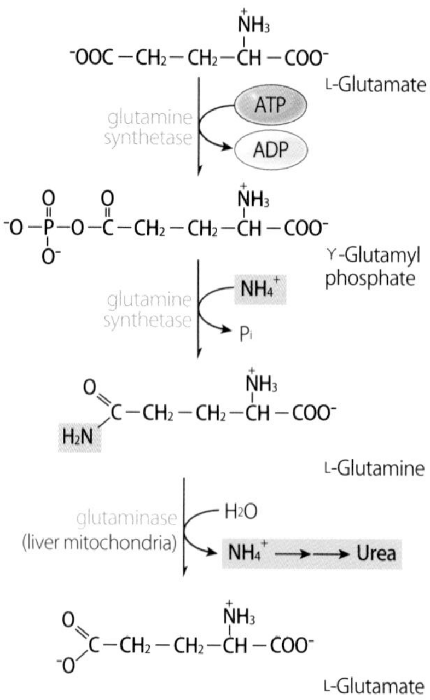

> 많은 생합성 반응에서 아미노기의 공급원 역할을 함

- 해리된 암모니아는 요소 회로로 들어감
- Glu는 glutamate dehydrogenase에 의해 추가적으로 암모니아가 해리되고 탄소 골격(α-ketoglutarate)을 형성하기도 함

(4) 골격근에서 간으로 암모니아를 운반하는 alanine

- Glucose-alanine cycle
  - Alanine aminotransferase (ALT): Glu로부터 pyruvate에 아미노기를 전달
    ⇒ Ala 생성 → 생성된 Ala는 혈액을 통해 간으로 이동
    ⇒ Ala에서 α-ketoglutarate로 아미노기를 전달하여 pyruvate와 Glu 생성
  - 간에서 생성된 pyruvate는 gluconeogenesis를 통해 glucose 생성
    ⇒ 혈액을 통해 다시 muscle로 이동하여 glycolysis를 통해 에너지원으로 사용

간기능 검사에서 Aspartate aminotransferase (AST)와 함께 간세포의 손상 정도를 반영하는 척도로 사용된다.

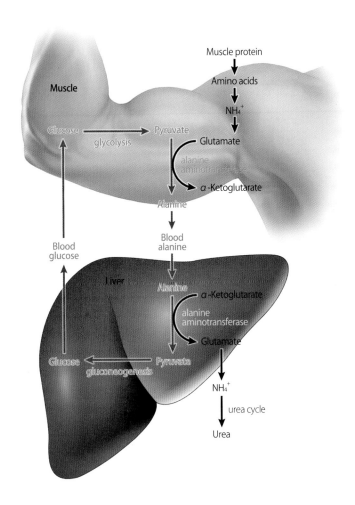

2. 요소 회로

암모니아가 요소로 전환되는 요소 회로에 대해 학습한다.

1) 요소 회로와 요소의 생성

(1) 1단계

- Carbamoyl phosphate synthetase I
  - Bicarbonate, 암모니아, ATP가 반응하여 carbamoyl phosphate 생성
  - Rate-limiting step → 조절 단계
  - N-acetylglutamate에 의한 allosteric activation

> N-acetylglutamate를 생성하는 N-acetylglutamate synthase는 Arg가 activator로 작용

(2) 2단계

- Ornithine transcarbamoylase
  - Ornithine에 carbamoyl group을 전달 → citrulline 생성

(3) 3단계

- Arginosuccinate synthetase
  - Asp의 아미노기와 citrulline의 카보닐기가 반응하여 arginosuccinate 생성

(4) 4단계

- Arginosuccinase
  - Arginosuccinate가 Arg와 fumarate로 분해
  - 요소 회로의 유일한 가역 과정

> 생성된 fumarate는 TCA cycle로 진행 가능

(5) 5단계

- Arginase
  - Arg를 절단하여 요소와 ornithine을 생성
  - 재생성된 ornithine은 mitochondria로 이동하여 다음 차례의 요소 회로 개시

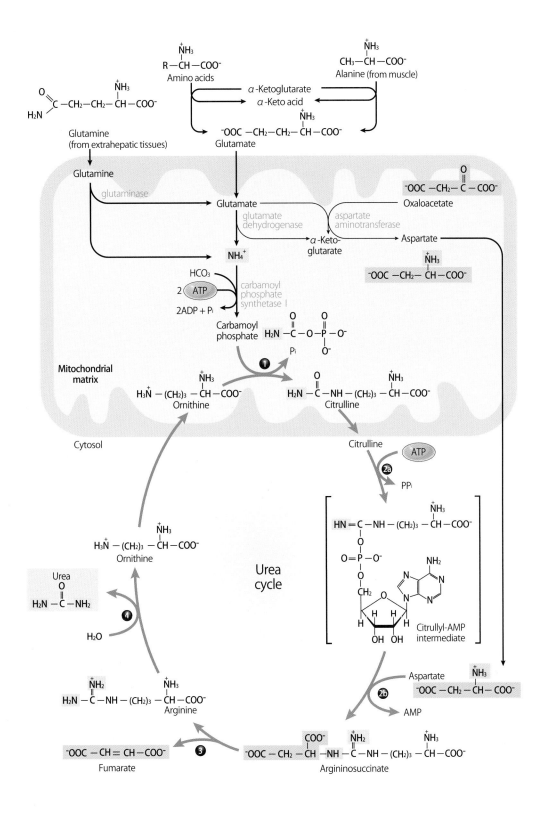

2) 요소 회로의 유전적 결함

(1) 요소 회로 효소의 유전적 결함

- 아미노산을 단백질 합성을 위한 minimum daily requirement 이상으로 섭취 시, 처리되지 못한 암모니아가 혈액으로 유리됨
- Hyperammonemia, urea 회로 중간 생성물이 축적됨

(2) 치료

- 방향족 산(benzoic acid, phenylbutyric acid)의 투여를 통한 혈중 암모니아 감소
- N-acetylglutamate synthase의 결함 → N-acetylglutamate의 유사체인 carbamoyl glutamate 투여
- Arg 보충 식이: ornithine transcarbamoylase, arginosuccinate synthetase, arginosuccinase 결함 시
- Arg-free diet: arginase 결함 시

3. 아미노산의 분해 경로

아미노산의 분해 대사를 학습한다. 20가지 아미노산 각각의 대사 과정에 집중하기 보다는 아미노산을 glucogenic과 ketogenic으로 구분하고, 각 metabolic point로 유입되는 아미노산이 무엇인지 정리하는 것이 좋다.

1) 아미노산 분해의 overview

- 20가지 아미노산의 분해 경로 → 6개의 주요 생성물을 통해 TCA 회로로 유입

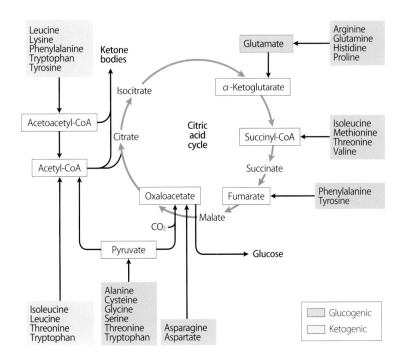

2) 아미노산의 glucose 또는 ketone body로의 전환

(1) Ketogenic 아미노산

- Phe, Tyr, Ile, Leu, Trp, Thr, Lys
  - 분해 과정에서 acetoacetyl−CoA, acetyl−CoA를 생성
    ⇒ 간에서 ketone body 생성 가능

142p 참고

(2) Glucogenic 아미노산

- Ala, Cys, Gly, Ser, Thr, Trp, Asp, Asn, Phe, Tyr, Ile, Met, Val, Glu, Gln, His, Pro, Arg
  - 대사 경로에서 pyruvate, α-ketoglutarate, succinyl-CoA, fumarate, oxaloacetate를 생성하는 것들
- Trp, Phe, Tyr, Thr, Ile는 ketogenic이면서 glucogenic

3) TCA 회로로 유입되는 경로들

(1) Pyruvate로 분해되는 6가지 아미노산

- Ala: α-ketoglutarate에 amino group 전달하여 Glu와 pyruvate 형성 by Alanine aminotransferase
- Trp: 지방족 곁가지 부분이 절단되어 Ala 형성
- Cys: 황 원자 제거되어 Ala 형성
- Ser: -OH, -NH₂가 제거되며 pyruvate 형성 by serine dehydratase
- Gly: 3가지 분해 경로
  - Hydroxymethyl group을 전달받아 Ser 형성 by serine hydroxymethyl transferase
  - Oxidative cleavage: TCA로 유입되지 않음. by glycine cleavage enzyme
  - Glyoxylate로 전환 by D-amino acid oxidase 형성된 glyoxylate는 NAD^+를 환원시키며 oxylate로 산화됨
- Thr: 2가지 분해 경로
  - Gly을 경유 by threonine dehydrogenase & 2-amino-3-ketobutyrate CoA ligase
  - Gly와 acetaldehyde로 전환 by serine hydroxymethyltransferase

(2) Acetyl-CoA로 분해되는 7가지 아미노산

- Trp, Lys: Acetoacetyl-CoA를 경유하여 acetyl-CoA 형성
- Phe: Tyr로 산화 by phenylalanine hydroxylase
  - 유전적 결함 시 PKU (phenylketonuria) 발생
- Tyr
- Leu, Ile, Thr

Tyr로 산화되지 못한 Phe가 축적되어 발생하는 유전질환으로 특징적인 소변 냄새가 나고, 영유아기 Phe 및 그 대사산물의 축적은 CNS 발달에 영향을 준다.

(3) α-ketoglutarate로 전환되는 5가지 아미노산

- Pro: glutamate γ-semialdehyde 형성 by proline oxidase
  - Glutamate γ-semialdehyde는 glutamate semialdehyde dehydrogenase에 의해 Glu 형성
- Gln: glutaminase에 의해 Glu 형성
- Glu: glutamate dehydrogenase에 의해 α-ketoglutarate 형성
- Arg: urea cycle에서 ornithine 형성
  - ornithine은 ornithine δ-aminotransferase에 의해 glutamte γ-semialdehyde 형성
- His: 5개의 C중 4개는 Glu로 전환되고, 1개는 tetrahydrofolate가 관여하는 반응에서 제거됨

(4) Succinyl-CoA로 전환되는 4가지 아미노산

- Met: homocystein, α-ketobutyrate를 거쳐 propionyl-CoA 형성
  - Propionyl-CoA는 methylmalonyl-CoA를 거쳐 succinyl-CoA 형성
- Ile: 6개의 C중 1개는 CO_2 형태로 제거되고, 나머지 5개의 C는 acetyl-CoA와 propionyl-CoA로 전환
- Thr: α-ketobutyrate를 거쳐 propionyl-CoA 형성
- Val: propionyl-CoA 형성

(5) 간에서 분해되지 않는 BCAA (branched chain amino acids)

- Leu, Ile, Val
- 주로 근육, 지방, 신장, 뇌에서 산화되어 에너지원으로 이용
  - 간 이외의 조직들: 간에 없는 aminotransferase를 보유
  - branched-chain aminotransferase에 의해 α-keto acid 형성
  - branched-chain α-keto acid dehydrongease complex에 의해 acyl-CoA 형성

(6) Oxaloacetate로 분해되는 2가지 아미노산

- Asp: aspartate aminotransferase에 의해 α-ketoglutarate에 아미노기 전달하여 Glu 만들면서 oxaloacetate 형성
- Asn: asparaginase에 의해 Asp로 전환

4) 아미노산의 분해대사에 영향을 미치는 유전질환들

Medical condition	Approximate incidence (per 100,000 births)	Defective process	Defective enzyme	Symptoms and effects
Albinism	<3	Melanin synthesis from tyrosine	Tyrosine 3-monooxygenase (tyrosinase)	Lack of pigmentation; white hair, pink skin
Alkaptonuria	<0.4	Tyrosine degradation	Homogentisate 1, 2-dioxygenase	Dark pigment in urine; late-developing arthritis
Argininemia	<0.5	Urea synthesis	Arginase	Mental retardation
Argininosuccinic acidemia	<1.5	Urea synthesis	Argininosuccinase	Vomiting; convulsions
Carbamoyl phosphate synthetase I deficiency	<0.5	Urea synthesis	Carbamoyl phosphate synthetase I	Lethargy; convulsions; early death
Homocystinuria	<0.5	Methionine degradation	Cystathionine β-synthase	Faulty bone development; mental retardation
Maple syrup urine disease (branched chain ketoaciduria)	<0.4	Isoleucine, leucine, and valine degradation	Branched-chain a-keto acid dehydrogenase complex	Vomiting; convulsions; mental retardation; early death
Methylmalonic acidemia	<0.5	Conversion of propionyl-CoA to succinyl-CoA	Methymalonyl-CoA mutase	Vomiting; convulsions; mental retardation; early death
Phenylketonuria	<8	Conversion of phenylalanme to tyrosine	Phenylalanine hydroxylase	Neonatal vomiting; mental retardation

4. 아미노산의 생합성

아미노산의 생합성 경로를 학습한다. 20가지 아미노산 각각의 합성 과
정보다는, 주요 metabolite로부터 어떤 아미노산이 합성되는지와 필수
아미노산이 무엇인지 정리해 두는 것이 좋다.

1) 아미노산 생합성의 개요
- Glycolysis, TCA cycle, pentose phosphate pathway의 중간체들
  로부터 유래되어 아미노산이 생합성됨
- 필수 아미노산: Met, Thr, Lys, Val, Leu, Ile, Trp, His, Phe (Tyr)

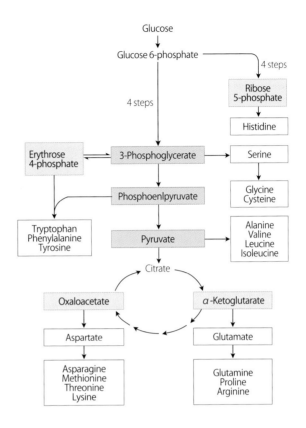

2) 아미노산 합성의 주요 전구체들

(1) α-ketoglutarate로부터 Glu, Gln, Pro, Arg의 합성

- Pro: Glu의 고리형 유도체
  - γ-glutamyl phosphate, glutamate γ-semialdehyde를 거쳐 Pro 형성
- Arg: Glu로부터 ornithine과 urea cycle을 거쳐서 합성됨

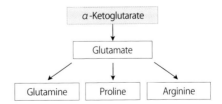

(2) 3-phosphoglycerate로부터 Ser, Gly, Cys의 합성

- Ser: 3-phosphohydroxypyruvate, 3-phosphoserine을 거쳐서 형성됨

- Gly: Ser이 serine hydroxymethyltransferase에 의해 탄소 잃고 형성됨
- Cys: Met으로부터 S 원자를 공급받고, Ser이 탄소 골격을 제공하여 형성됨

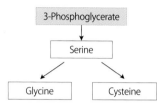

(3) Oxaloacetate로부터 Asn, Met, Lys, Thr의 합성

- Asp: oxaloacetate에 Gln의 amino group이 전달되어 합성
- Asn: Asp에 Gln의 amino group이 전달되어 합성
- Met, Lys, Thr: 필수 아미노산, 인체에서 합성되지 않음

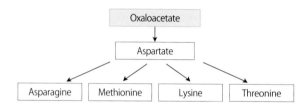

(4) Pyruvate로부터 Ala, Val, Leu, Ile의 합성

- Ala: pyruvate에 Gln의 amino group이 전달되어 합성
- Val, Leu, Ile: 필수 아미노산, 인체에서 합성되지 않음

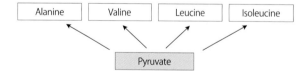

(5) PEP과 erythrose 4-phosphate로부터 Trp, Phe, Tyr의 합성

- Phe, Trp: 필수 아미노산, 인체에서 합성되지 않음
- Tyr: Phe가 충분히 있으면 Phe로부터 합성됨 ⇒ 조건적인 필수 아미노산

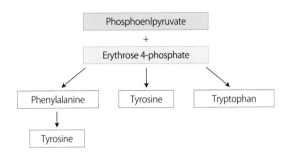

(6) Ribose 5-phosphate로부터 His의 합성

• His: 필수 아미노산, 인체에서 합성되지 않음

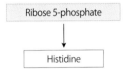

3) 아미노산 생합성의 allosteric regulation

일반적으로 생합성 경로의 최초 단계에 final product에 의해 allosteric regulation 됨

5. 아미노산으로부터 유도되는 분자들

아미노산으로부터 합성되는 주요 생체분자들을 학습한다.

1) Porphyrin과 heme
(1) Porphyrin

• Gly과 succinyl–CoA로부터 유래함
• Porphyrin 합성 경로의 유전적 결함 → 중간체의 축적 ⇒ porphyria 발생

(2) heme의 분해

• 수명이 다 한 RBC가 splen을 거치면서 heme이 분리되어 Fe^{2+}와 bilirubin 형성

2) Creatine과 glutathione

(1) Creatine

- Gly, Arg, Met로부터 합성됨
- Phosphocreatine: creatine에서부터 만들어지며, 골격근에서 에너지를 저장하고 있음

(2) Glutathione

- Glu, Cys, Gly로부터 형성된 tripeptide로 대사 과정에서 만들어지는 ROS를 처리하는 anti-oxidant ——— 83p 참고

3) 아미노산의 decarboxylation에 의한 생체 아민의 합성

(1) Tyr

- Tyrosine hydroxylase에 의해 산화되어 dopa 형성
- Aromatic amino acid decarboxylase에 의해 CO_2 잃고 dopamine 형성 ——— Schoziphrenia(조현병), Parkinson's disease와 관련된 신경전달물질
- Dopamine β-hydroxylase에 의해 산화되어 norepinephrine 형성
- Phenylethanolamine N-methyltransferase에 의해 CH_3 결합하여 epinephrine 형성

(2) Trp

- Tryptophan hydroxylase에 의해 산화되어 5-hydroxytryptophan 형성
- Aromatic amino acid decareboxylase에 의해 CO_2 잃고 serotonin 형성 ——— 우울증과 관련된 신경전달물질

(3) Glu

- Glutamate decarboxylase에 의해 CO_2 잃고 GABA (γ-amino-buytyric acid) 형성 ——— CNS를 억제하는 신경전달물질

(4) His

- Histidine decarboxylase에 의해 CO_2 잃고 histamine 형성 ——— vasodilator로, 알레르기 반응 및 위산 분비에 관여

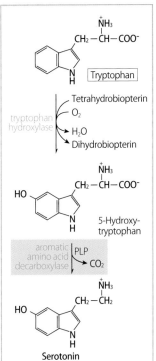

4) Arg로부터 NO의 합성

- Nitric oxide synthase에 의해 Arg이 citrulline과 NO 생성

vasodilator

6. 대사의 통합

지금까지 학습한 탄수화물, 지질, 아미노산의 대사가 조직에 따라 어떻게 다르게 진행되는가와, 주요 호르몬이 대사과정에 미치는 영향을 학습한다.

1) 조직별 대사의 특성: 조직별 업무의 분담

(1) 간: 영양소를 처리하고 배분

- 전체 대사과정의 중심적인 기관
- Hepatocyte: 음식물로부터 얻어진 영양소를 각 조직이 필요로 하는 연료와 전구체로 변형시켜 혈액으로 내보냄
- Protein-rich diet ⇒ 아미노산 분해, gluconeogenesis에 필요한 enzyme 농도 증가
- carbohydrate-rich diet ⇒ 지질 합성, 탄수화물 대사에 필요한 enzyme 농도 증가

〈Hepatocyte의 탄수화물 대사〉
- GLUT2: 수송 능력이 좋아 hepatocyte 내 포도당 농도가 혈중 농도와 같음
- Glucokinase (hexokinase IV)
  - K_m이 다른 isozyme에 비해 훨씬 높고, glucose 6-phosphate에 의해 억제되지 않음 ⇒ 포도당 농도 증가 시에도 포도당을 glucose 6-phosphate로 만들 수 있고, 포도당 농도가 낮을 때에는 간에서 포도당의 인산화를 최소로 유지하여 glycolysis를 통한 포도당의 소비를 억제

> Enzyme과 substrate의 친화도에 대한 척도. 50p 참고

- Glucose 6-phosphate의 metabolic fate
  - Glucose 6-phosphatase에 의해 탈인산화되어 free glucose가 되어 혈류로 유입
  - Glycogen 합성
  - Glycolysis, TCA, cycle, respiratory chain으로 이어져 ATP 생성 Hepatocyte에서는 fatty acid가 glucose보다 우선적으로 사용되는 연료임
  - Acetyl-CoA로부터 TG, phospholipid, cholesterol의 합성
  - Pentose phosphate pathway로 들어가서 생합성에 필요한 환원제인 NADPH와 nucleotide의 전구체인 ribose 5-phosphate 생성

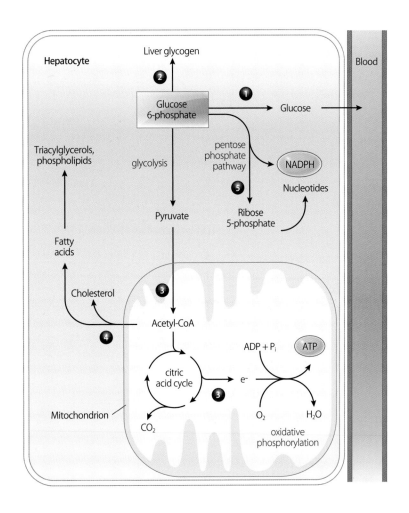

〈Hepatocyte의 아미노산 대사〉

• 간으로 유입된 아미노산의 metabolic fate

  – 단백질 합성을 위한 전구체

  – 선택적으로 혈류를 통해 다른 기관으로 이동, 각 조직의 단백질 합성에 이용

  – Nucleotide, hormone, 기타 질소 화합물의 전구체

  – 생합성에 필요로 하지 않는 아미노산 ⟹ 아미노기가 제거되어 pyruvate나 TCA cycle의 중간물질로 분해되어 metabolic pathway로 들어감

  – 유리된 암모니아는 요소로 바뀌어 방출

  – Pyruvate는 gluconeogenesis에 의해 glucose, glycogen으로 바뀌거나 acetyl−CoA로 전환

- Acetyl—CoA는 TCA cycle, respiratory chain을 통해 ATP를 합
  성하거나 지방으로 저장
- TCA cycle의 중간물질들은 gluconeogenesis에 의해 포도당 합성
  으로 진행
- Glucose—alanine cycle

공복 상태 지속 시, 근육의
단백질이 아미노산으로 분
해, 아미노기 전달반응에
의해 pyruvate가 Ala으로
전환되고, Ala는 간세포로
이동, 다시 아미노기 전달
반응에 의해 pyruvate를
생성하고, gluconeogen-
esis로 이어짐. 169p 참고

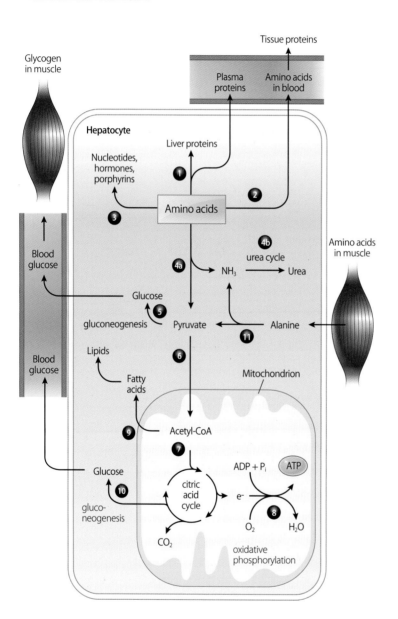

〈Hepatocyte의 지질 대사〉

- 간세포로 유입된 지방산의 metabolic fate
  - 간의 지질로 저장
  - 보통의 상황에서, 간의 일차적인 산화 연료: β-산화로 NADH, acetyl-CoA 생성
  - Acetyl-CoA는 TCA cycle, respiratory chain을 통해 ATP 합성
  - 간의 필요량보다 과잉으로 생성된 acetyl-CoA는 ketone body 형성. 혈액을 통해 말초 조직으로 운반되어 연료로 사용
  - Acetyl-CoA로부터 cholesterol의 생합성으로 이어짐 ⇒ steroid hormone, bile salt의 전구체
  - 혈장 lipoprotein의 성분인 인지질과 TG로 변환, lipoprotein 형태로 지방조직으로 lipid 운반 ⇒ TG 형태로 지방조직에 저장됨
  - Serum albumin과 결합하여 심장, 골격근으로 운반되어 연료로 작용

오랜 기간의 공복시, 뇌에 필요한 에너지의 60-70%, 심장에 필요한 에너지의 33%를 공급

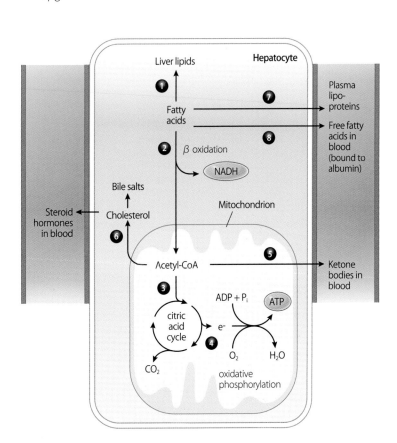

(2) 지방조직: 지방산을 저장하고 공급

- 많은 양의 탄수화물 섭취 시, glucose를 지방산으로 변환시키고, TG로 바꿔 fat globule(지방구) 형태로 저장
- 연료 요구 증가 시, lipase에 의해 TG를 가수분해 ⇒ free fatty acid를 방출하고, free fatty acid가 혈류를 타고 골격근, 심장으로 공급되며, epinephrine에 의해 촉진됨
- Lipase에 의해 유리된 glycerol은 TG 합성에 재사용되지 않음 – glycerol kinase의 부족
- TG 합성에 요구되는 glyucerol phosphate는 pyruvate로부터 PEP carboxykinase가 관여하는 glyceroneogenesis에 의해 합성됨

(3) 갈색 지방: 열을 발생

- Mitochondria가 발달해 있으며, thermogenin이 많이 발현됨 ⇒ thermogenesis

  uncoupling protein. 116p 참고

- 출생 시 체중의 1–5%를 차지하며, 신생아의 체온 유지에 이용됨
- 출생 후, 백색 지방의 발달이 시작되고, 갈색 지방은 사라지기 시작

(4) 근육: 기계적인 일에 ATP를 사용

- Myocyte: 근수축을 위한 즉각적인 에너지원, ATP 생성하도록 특화되어 있음
- Red muscle: 상대적으로 낮은 강도의 힘, 피로에 대한 저항성이 큼

  slow-twitch muscle

  - 상대적으로 느리게 ATP 생성하지만, 산화적 인산화 과정이 꾸준히 지속됨
  - Mitochondria 및 혈류 공급이 발달
- White muscle: 힘의 강도가 높고 빠름

  fast-twitch muscle

  - Mitochondria 및 혈류 공급이 적음
  - 활동 시 ATP 생산보다 소비가 더 빠르므로 빨리 피로해짐
- 근육의 연료: free fatty acid, ketone body, glucose, …
  - 쉬고 있을 때: 지방조직으로부터 동원된 free fatty acid, 간으로부터 유래한 ketone body → acetyl-CoA를 거쳐서 TCA cycle, respiratory chain
  - 보통의 활동을 하는 근육: fatty acid, ketone body, 혈중 glucose
  - 최대로 활동하는 white muscle: ATP 요구량이 커서 호흡만으로 ATP를 생산하는데 필요한 만큼의 충분한 산소, 연료를 혈액으로부터 얻을 수 없음 → 저장된 glycogen이 lactic acid로 발효되면서

anaerobic metabolism으로 에너지 생산
- 근육 활동을 위한 연료로 혈중 포도당, 근육 glycogen 사용은 epi-
nephrine에 의해 촉진됨

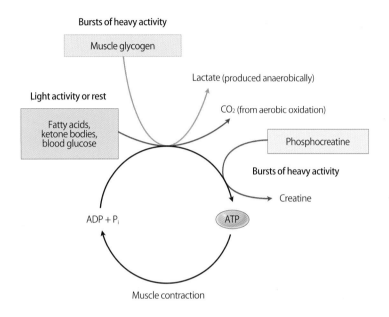

- **Phosphocreatine**: creatine kinase에 의해 ADP로부터 ATP 합성
  - 격렬한 수축, glycolysis가 일어나는 동안 ATP 합성하는 방향으로 진행
  - 휴식 시에는 ATP를 소모하여 creatine으로부터 phosphocreatine을 재합성
- 격렬한 근육 활동 후에는 간의 산화적 인산화에 별도의 산소가 더 필요하므로 당분간 가쁜 호흡 지속
- **Cori cycle**: 근육에서 만들어진 lactate가 혈액을 타고 간으로 이동, ATP를 사용하면서 gluconeogenesis에 의해 glucose를 만들고, 만들어진 glucose는 다시 혈액을 타고 근육으로 되돌아가 근육의 gly-cogen을 보충
- **Shivering thermogenesis**: 빠르고 반복적인 근수축을 통한 열 생성
- 심장근: free fatty acid를 주요 연료로 사용하며, 골격근보다 mitochondria를 더 많이 보유

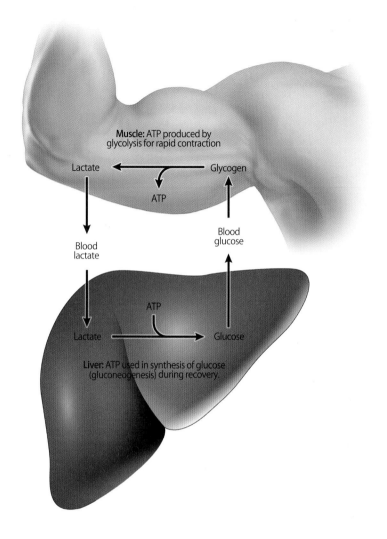

(5) 뇌: 전기 신호를 전달하기 위해 에너지를 사용

- 보통은 glucose만을 연료로 사용
- Glycogen을 거의 함유하고 있지 않아 혈액으로부터 들어오는 glu-cose에 의존적
- Fatty acid, lipid는 연료로 사용 불가능
- 기아가 지속되면 ketone body를 사용 가능
- 심한 기아 상태에서는 근육의 단백질이 간의 gluconeogenesis를 경유하여 뇌의 glucose 공급에 사용됨
- 생성된 ATP를 이용하여 electrical potential을 생성하고 유지함

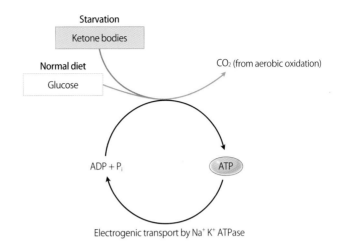

2) 연료 대사의 호르몬 조절
(1) Insulin – 고혈당에 대한 반격

• Insulin의 metabolic effect

Metabolic effect	Target enzyme
↑ Glucose uptake (muscle, adipose)	↑ Glucose transporter (GLUT4)
↑ Glucose uptake (liver)	↑ Glucokinase (increased expression)
↑ Glycogen synthesis (liver, muscle)	↑ Glycogen synthase
↓ Glycogen breakdown (liver, muscle)	↓ Glycogen phosphorylase
↑ Glycolysis, acetyl–CoA production (liver, muscle)	↑ PFK–1 (by ↑ PFK–2) ↑ Pyruvate dehydrogenase complex
↑ Fatty acid synthesis (liver)	↑ Acetyl–CoA carboxylase
↑ Triacylglycerol synthesis (adipose tissue)	↑ Lipoprotein lipase

• Well–fed 상태의 간 ⇒ lipogenic liver
  - Glycolysis → pyruvate → acetyl–CoA
  - 생성된 acetyl–CoA가 에너지 생성을 위해 더 이상 산화될 필요가 없으면 지방산 합성으로 이어짐
  - 생성된 지방산은 VLDL 속의 TG 형태로 지방조직으로 운반
  - 지방세포에서 VLDL의 TG로부터 유리된 지방산이 다시 TG로 합성됨
• Insulin → 과량의 혈당을 간과 근육의 glycogene, 지방조직의 TG로 저장

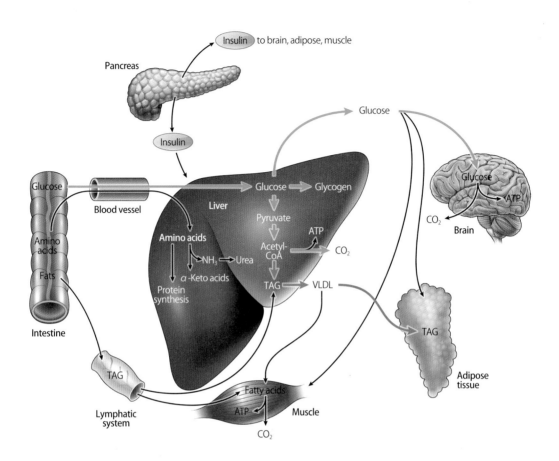

(2) Pancreatic β-cell: 혈당 변화에 반응하여 insulin 분비

- 혈당 증가: GLUT2에 의해 포도당이 β-cell로 운반, glucokinase에 의해 glucose 6-phosphate 형성, glycolysis, TCA cycle, respiratory chain에 의해 ATP 합성
- ATP 농도 증가하면 세포막의 ATP-gated K^+ channel이 닫혀서 K^+의 유출 방지 → 탈분극
- 탈분극 되면 voltage-dependent Ca^{2+} channel이 열려 세포 내 Ca^{2+} 농도 증가 → insulin secretion 촉진

(3) Glucagon: 저혈당에 대한 반격

- Glucagon의 metabolic effect
  - Glycogne phosphorylase 활성화, glycogen synthase 불활성화
    → glycogen 분해의 촉진
  - FBPase-2를 활성화시켜 fructose 2,6-bisphosphate 농도 감소
    → PFK-1 억제 → glycolysis 억제, gluconeogenesis 촉진

Metabolic effect	Effect on glucose metabolism	Target enzyme
↑ Glycogen breakdown (liver)	Glycogen ⇒ glucose	↑ Glycogen phosphorylase
↓ Glycogen synthesis (liver)	Less glucose stored as glycogen	↓ Glycogen synthase
↓ Glycolysis (liver)	Less glucose used as fuel in liver	↓ PFK−1
↑ Gluconeogenesis (liver)	Amino acids Glycerol ⎱→ glucose Oxaloacetate ⎰	↑ FBPase−2 ↓ Pyruvate kinase ↑ PEP carboxykinase
↑ Fatty acid mobilization (adipose tissue)	Less glucose used as fuel by liver, muscle	↑ Hormone−sensitive lipase
		↑ PKA (perilipin−Ⓟ)
↑ Ketogenesis	Provides alternative to glucose as energy source for brain	↓ Acetyl−CoA carboxylase

- 공복 상태의 간 ⇒ glucogenic liver
  - 공복 시 뇌에 포도당을 공급하는 주요 장소

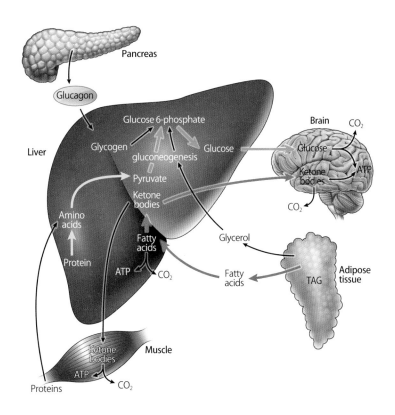

(4) 공복 및 기아 상태에서의 대사: 뇌에 연료를 공급하도록 변함

- 식후 첫 2시간: 혈당이 약간 감소, glycogenolysis에 의해 생성된 포도당 이용
- 식후 4시간: insulin 분비 감소, glucagon 분비 증가 → TG가 동원

되어 근육과 간의 일차 연료가 됨
- 지속된 공복 상황
  - Glucose를 뇌로 공급하기 위해 단백질을 분해
  - Glucogenic 아미노산의 탄소 골격이 pyruvate 또는 TCA cycle
    의 중간 생성물로 변환된 후 gluconeogenesis의 출발 물질이 되어
    glucose 생성 → 뇌로 운반
  - 지방산은 acetyl-CoA로 산화되지만, oxaloacetate가 gluconeo-
    genesis를 위한 중간 생성물로 이용됨으로 인해 고갈됨 → TCA
    cycle이 진행되지 못하고 축적됨 → ketone body 생성
- 수일 동안의 공복: 혈중 ketone body의 상승 → 심장, 골격근, 뇌로
  운반되어 연료로 사용
- 오래 지속된 공복 상태에서 간의 연료 대사

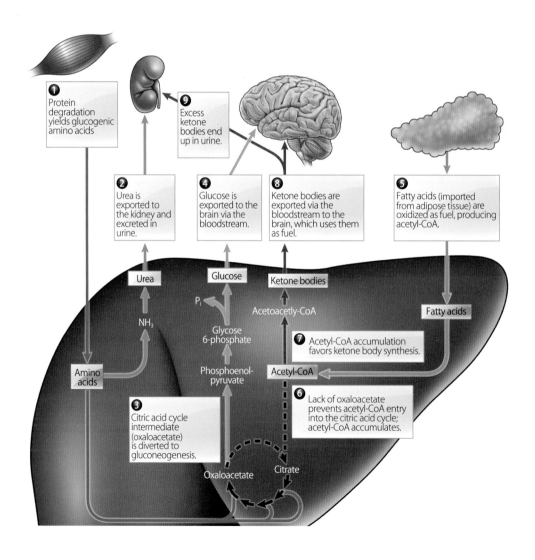

(5) Epinephrine: 긴급한 상황에 대한 행동 신호

- Epinephrine의 metabolic effect

Immediate effect	Overall effect
Physiological ↑ Heart rate ↑ Blood pressure ↑ Dilation of respiratory passages	Increase delivery of O_2 to tissues (muscle)
Metabolic ↑ Glycogen breakdown (muscle, liver) ↓ Glycogen synthesis (muscle, liver) ↑ Gluconeogenesis (liver)	Increase production of glucose for fuel
↑ Glycolysis (muscle)	Increases ATP production in muscle
↑ Fatty acid mobilization (adipose tissue)	Increases availability of fatty acids as fuel
↑ Glucagon secretion ↓ Insulin secretion	Reinforce metabolic effects of epinephrine

(6) Cortisol: 저혈당을 포함하는 스트레스에 대한 신호

- 지방조직에 저장된 TG로부터 fatty acid의 유리를 자극
  - Fatty acid는 연료로 사용, glycerol은 gluconeogenesis에 이용
- 근육 단백질의 분해를 자극, 생성된 아미노산은 간에서 gluconeogenesis에 이용
- 간: PEP carboxykinase의 합성을 자극 → gluconeogenesis 촉진

DNA와 RNA

1. 핵산의 구조

핵산의 구조에 대해 학습한다.

1) 뉴클레오타이드와 핵산
(1) 뉴클레오타이드
- 뉴클레오타이드(nucleotide): 염기, 5탄당, 인산으로 구성
- 뉴클레오사이드(nucleoside): 염기, 5탄당으로 구성

- 염기: 5탄당의 1' 탄소와 β–glycoside bond로 결합
  - Purine 계열: A (adenine), G (guanine)
  - Pyrimidine 계열: C (cytosine), T (thymine), U (uracil)

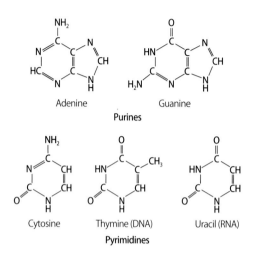

- 5탄당: 2'–deoxyribose (DNA), ribose (RNA)

2' 탄소에 O가 제거되어 있다는 의미

- 주요 뉴클레오타이드의 구조

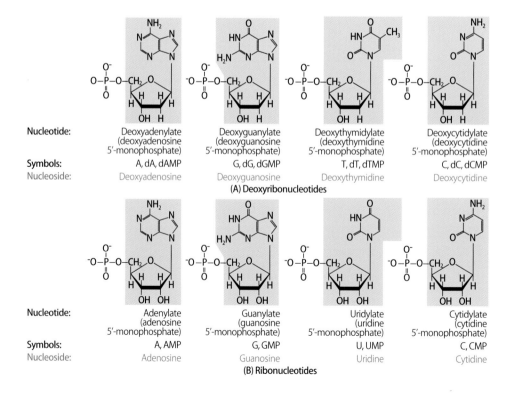

(2) Phosphodiester bond

- 핵산에서 nucleotide들의 결합: phosphodiester bond

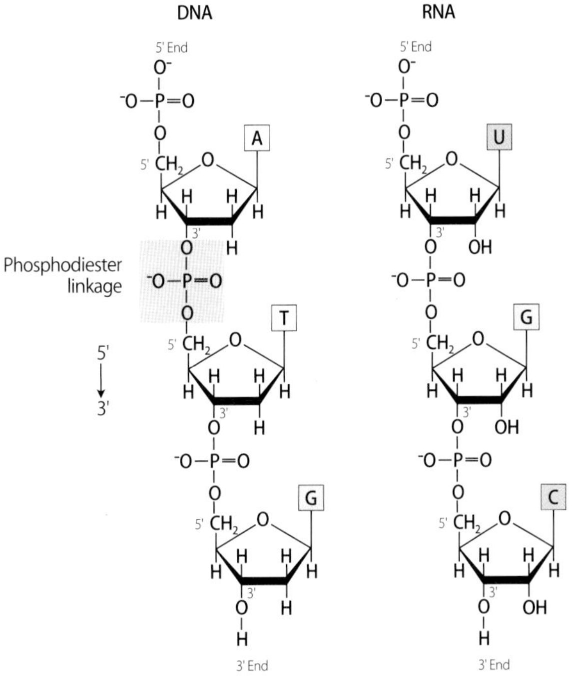

- DNA와 비교한 RNA의 불안정성: 염기성 조건에서 가수분해가 잘 일어남

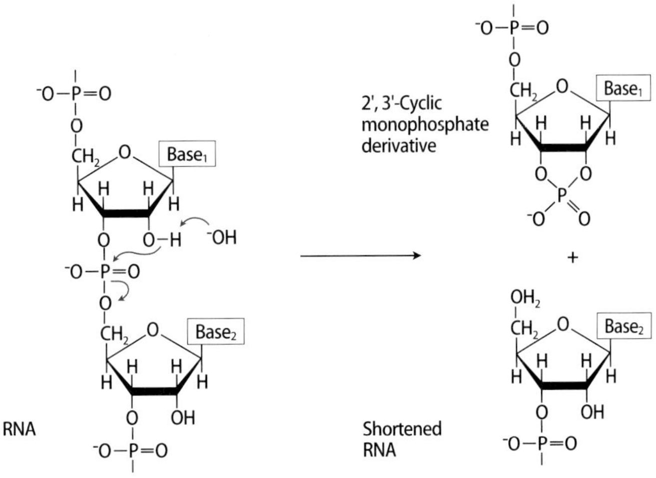

(3) DNA의 상보적 염기쌍

- A는 T와 2개의 수소결합으로, G는 C와 3개의 수소결합으로 염기쌍 형성

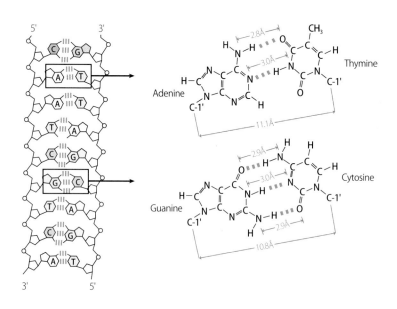

2) DNA의 구조와 변성
(1) DNA의 이중 나선

- Watson과 Crick의 모형
  - 염기쌍 1개당 3.4Å, 1회전당 약 10개의 염기쌍

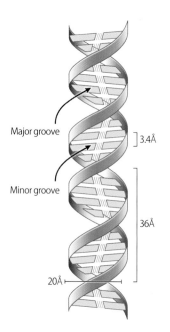

(2) 특정 DNA 서열 ⇒ 특이한 구조 형성

- Palindrome(회문): inverted repeat이 나타나는 부분
  - hairpin이나 cruciform 형성 가능
  - 서열 특이적 DNA 결합 단백질들이 인식하는 부위는 대부분 회문으로 배열됨

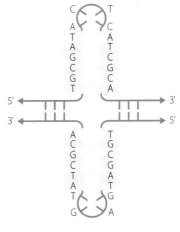

(A) Hairpin

(B) Cruciform

(3) DNA의 변성

• DNA의 가역적인 변성과 재생

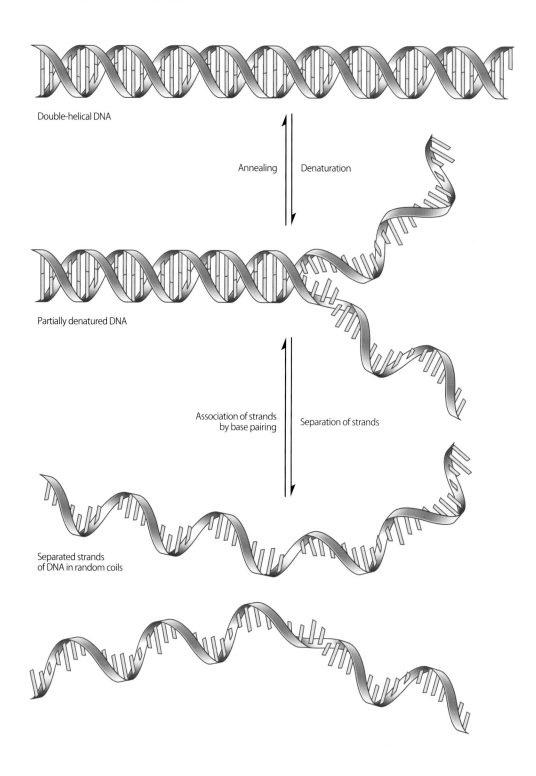

Double-helical DNA

Annealing | Denaturation

Partially denatured DNA

Association of strands by base pairing | Separation of strands

Separated strands of DNA in random coils

DNA의 절반이 단일나선 ⋯⋯⋯⋯ **• 열에 의한 변성**
으로 변성되는 온도   − G/C 함량이 높을수록 t_m이 높음

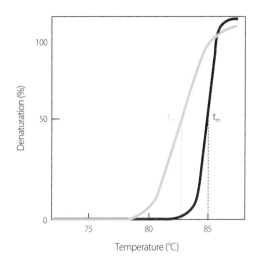

3) 뉴클레오타이드의 다른 기능
(1) 세포에서 화학 에너지를 운반: ATP

• Nucleoside phosphates

Abbreviations of ribonucleoside 5'−phosphates			
Base	Mono−	Di−	Tri−
Adenine	AMP	ADP	ATP
Guanine	GMP	GDP	GTP
Cytosine	CMP	CDP	CTP
Uracil	UMP	UDP	UTP

Abbreviations of deoxyribonucleoside 5'−phosphates			
Base	Mono−	Di−	Tri−
Adenine	dAMP	dADP	dATP
Guanine	dGMP	dGDP	dGTP
Cytosine	dCMP	dCDP	dCTP
Thymine	dTMP	dTDP	dTTP

(2) 조절 분자로서의 뉴클레오타이드

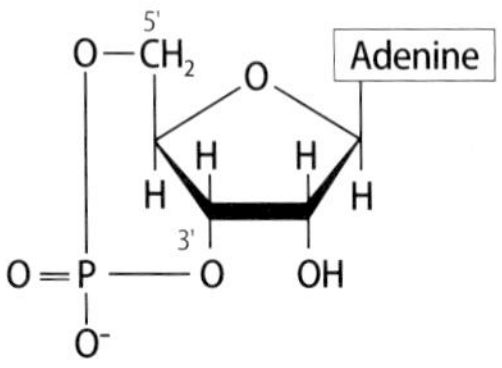
Adenine

Adenosine 3′,5′-cyclic monophosphate
(cyclic AMP; cAMP)

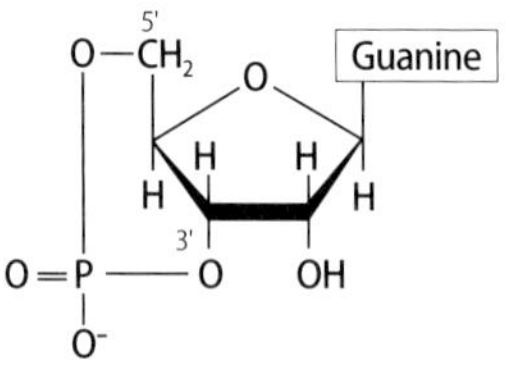
Guanine

Guanosine 3′,5′-cyclic monophosphate
(cyclic GMP; cGMP)

(3) Adenine nucleotide: 많은 coenzyme의 성분

Coenzyme A

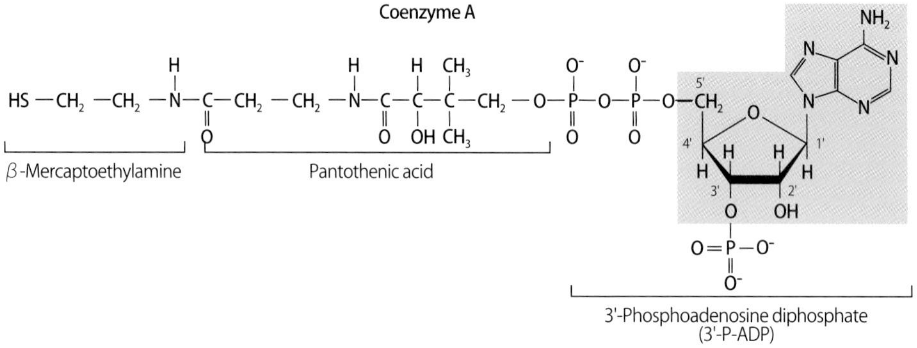
β-Mercaptoethylamine
Pantothenic acid
3'-Phosphoadenosine diphosphate
(3'-P-ADP)

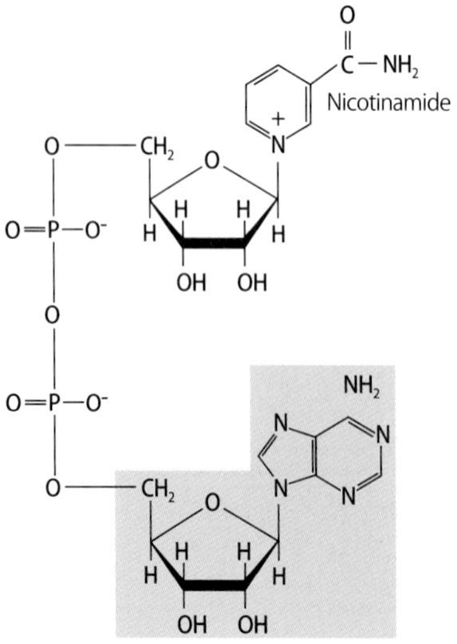
Nicotinamide

Nicotinamide adenine dinucleotide (NAD+)

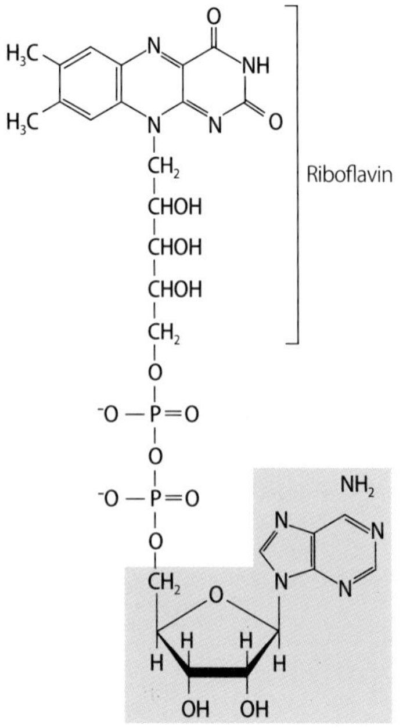
Riboflavin

Flavin adenine dinucleotide (FAD)

2. 뉴클레오타이드 대사

뉴클레오타이드의 생합성과 분해 대사에 대해 학습한다.

1) 생합성
(1) 뉴클레오타이드 합성의 경로들
- De novo pathway: 아미노산, ribose 5-phosphate, CO_2, NH_3 등의 대사 전구체로부터 생합성
- Salvage pathway: 핵산의 분해로 생긴 유리 염기, nucleoside를 재이용
- 염기가 합성된 뒤 ribose에 결합하는 것이 아님
- Purine ring: ribose에 한번에 1개 또는 몇 개의 원자를 붙여가며 합성
- Pyrimidine ring: ribose phosphate에 결합된 orotate 상태로 합성된 후, 핵산 합성에 이용되는 공통의 pyrimidine nucleotide로 전환됨

(2) 퓨린 뉴클레오타이드의 합성
- PRPP (phosphoribosyl pyrophosphate)로부터 시작됨
- Purine ring에서 각 원자의 기원

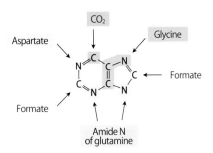

- Purine ring의 생성 과정
  - Gln으로부터 기원한 amino group이 PRPP에 결합, 5-phospho-ribosylamine 형성: committed step
  - Gly로부터 3개의 원자가 첨가
  - N^{10}-formyltetrahydrofolate에 의한 formylation
  - Gln으로부터 N의 도입

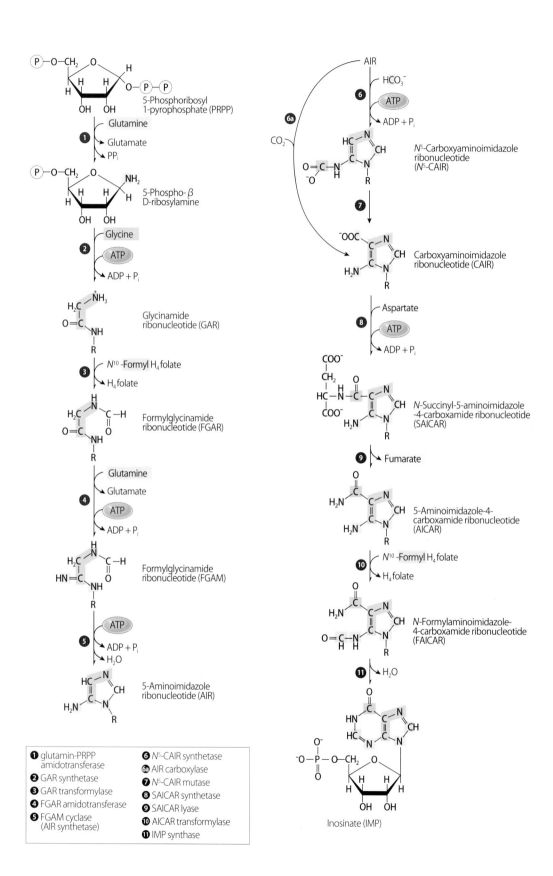

- 탈수 및 고리 닫힘이 일어나 5원자 고리 형성
- Carboxyl group의 첨가
- Asp가 첨가되어 amide 형성
- Asp의 탄소 골격이 fumarate 형태로 제거
- N^{10}-formyltetrahydrofolate에 의한 formylation
- 고리 닫힘이 일어나 완전한 purine ring을 가진 inosinate (IMP) 생성

- AMP의 생성: IMP에 Asp로부터 amino group 도입, Asp의 탄소 골격은 fumarate 형태로 제거되며 생성, GTP를 사용
- GMP의 생성: IMP가 산화되어 xanthylate (XMP) 형성한 뒤, Gln 으로부터 amino group을 공급받아 생성, ATP를 사용

- Purine 생합성의 조절
  - PRPP로부터 5-phosphoribosylamine의 형성: AMP, GMP, IMP 에 의해 억제
  - GMP가 상승하면 AMP 생성에는 영향을 주지 않은 채, IMP로부터 XMP 형성을 억제하고, AMP가 상승하면 GMP 생성에 영향을 주 지 않고 AMP 형성을 억제
  - AMP 합성 시에는 GTP 사용하고, GMP 합성 시에는 ATP 사용 → 합성에 균형

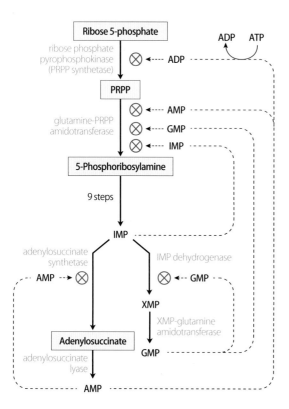

(3) Pyrimidine 뉴클레오타이드의 합성

- Asp, PRPP, carbamoyl phosphate로부터 합성

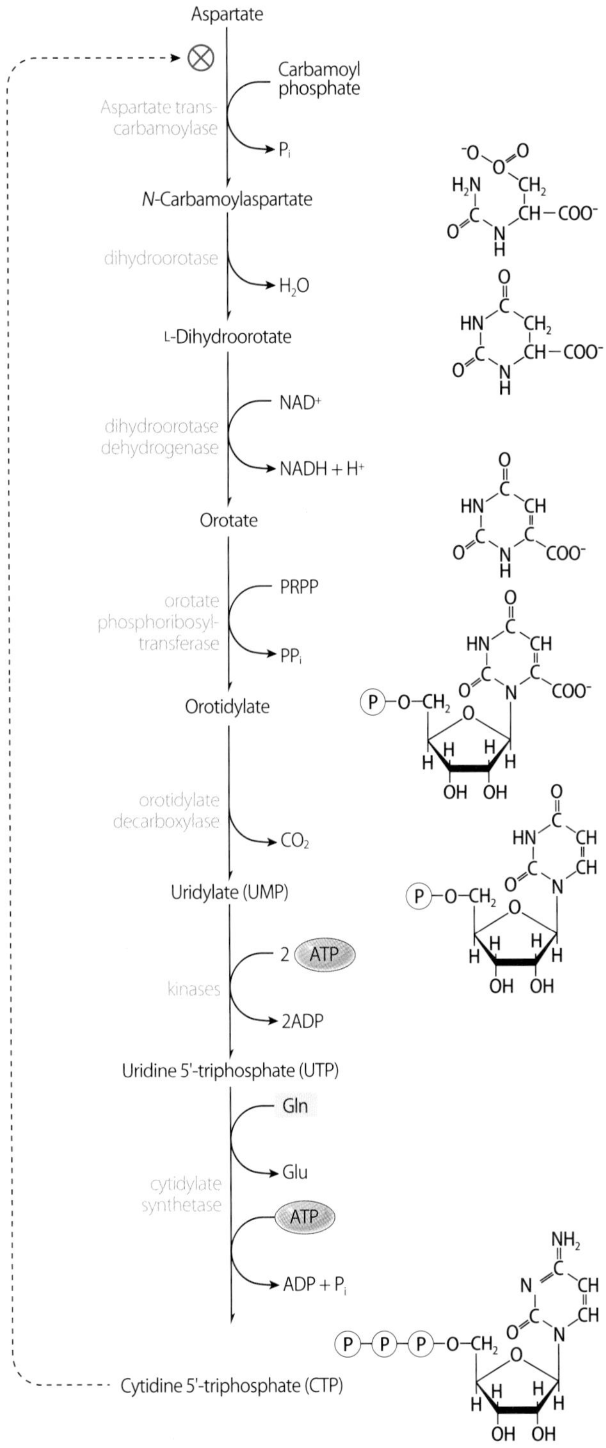

- Purine과 달리 pyrimidine ring (orotate)이 먼저 만들어진 후 ribose 5-phosphate가 결합
  - Asp와 carbamoyl phosphate의 반응으로 N-carbamoylaspartate를 생성: committed step
  - Pyrimidine ring을 갖는 orotate가 생성된 뒤, PRPP와 반응하여 orotidylate를 생성
  - Orotidylate에서 CO_2가 제거되어 UMP 생성
  - UMP와 ATP의 반응으로 UTP 생성
  - UTP와 Gln의 반응으로 CTP 생성
- Pyrimidine 생합성의 조절
  - Aspartate transcarbamoylase에서 주로 일어남

(4) NTP로 전환되는 NMP

- ATP + AMP $\rightleftarrows$ 2ADP: adnylate kinase
- ATP + NMP $\rightleftarrows$ ADP + NDP: nucleoside monophosphate kinase
- NTP_D + NDP_A $\rightleftarrows$ NDP_D + NTP_A: nucleoside diphosphate kinase

(5) Ribonucleotide로부터 deoxynucleotide의 합성

- Ribonucleotide reductase: glutaredoxin이나 thioredoxin을 통한 수소 운반

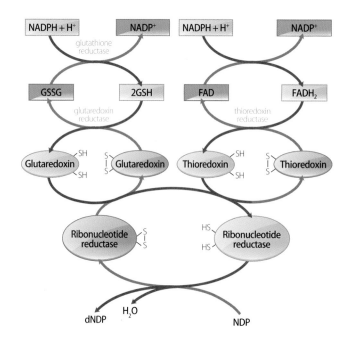

(6) dCDP와 dUMP로부터 유래하는 thymidylate

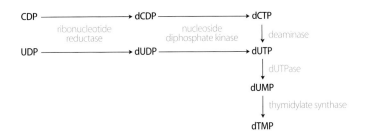

2) 분해

(1) 퓨린 뉴클레오타이드의 분해: uric acid 생성

- 5'-nucleotidase에 의해 분해되기 시작
- 최종적으로 xanthine oxidase에 의해 산화되어 uric acid 생성
- Uric acid는 urate oxidase에 의해 산화되어 allantoin으로 분해됨

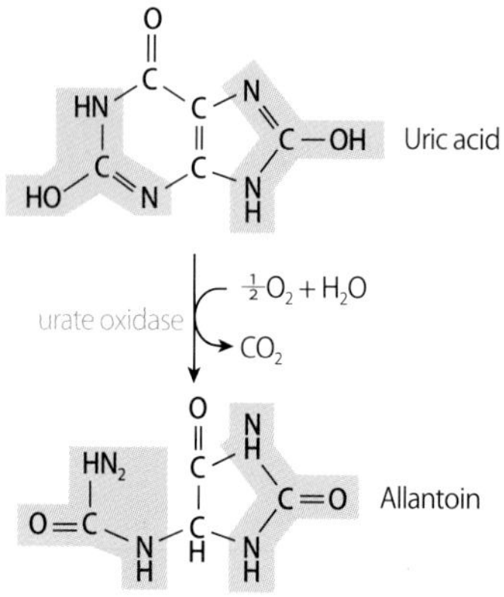

- 과량의 uric acid는 gout를 유발 가능
  - Allopurinol: xanthine oxidase의 저해제로, uric acid의 생성을 억제함

(2) 피리미딘 뉴클레오타이드의 분해: urea 생성

- 일반적으로 NH_4^+를 만들고, 이어서 urea 합성으로 이어짐

(3) salvage pathway에 의한 재이용

- Adenine + PRPP → AMP + PP_i: adenosine phosphoribosyl-transferase
- Hypoxanthine-guanine phosphoribosyltransferase

3. 유전자와 염색체

유전자와 염색체에 대한 용어들을 학습한다.

1) 염색체의 구성 성분
(1) 유전자

- 유전자(gene): 구조적 혹은 촉매 기능을 지닌 polypeptide나 RNA와 같은 최종 산물의 일차 염기서열을 암호화하는 모든 종류의 DNA
- Regulatory sequence: 유전자의 개시 또는 종결을 알려주거나, 유전자의 transcription에 영향을 주거나, replication, recombination의 개시점으로 작용하는 신호

(2) 세균

- 하나의 세포에 하나의 염색체
- 각 염색체는 각 유전자를 단 1개만 갖고 있으며, rRNA 유전자같은 매우 소수의 유전자들만 여러개 존재
- 유전자와 regulatory sequence가 DNA의 거의 대부분을 차지
- 거의 모든 유전자는 그것이 암호화하는 아미노산 서열과 정확하게 일치
- Plasmid: 염색체 외에 존재하는 DNA element

(3) 진핵생물

- Intron: 유전자 내의 번역되지 않는 DNA 부분으로 기능은 확실치 않음
- Exon: 암호화되는 부위
- 전형적인 유전자: intron 비율이 exon 비율보다 높음
- 인간: 전체 DNA 중 약 1.5%만이 exon
- Centromere: 세포분열 시 염색체를 mitotic spindle에 연결시켜주는 단백질들이 결합하는 결합점 기능을 하는 DNA 서열
- Telomere: 염색체를 안정화하는데 기여하는 염색체 말단에 존재하는 서열

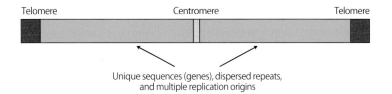

2) DNA의 초나선 구조

(1) 초나선 구조(supercoiling)

- 초나선 구조: 하나의 나선이 다시 나선 구조를 형성한 것
  - 일반적으로 구조적 긴장을 동반함
  - DNA에 구조적 압력이 가해졌을 때 형성됨
- Relaxed state: 이중나선 구조의 축을 중심으로 다시 코일 구조를 형성하지 않는 상태
- 대부분의 세포 내 DNA는 이중나선 구조가 다소 풀려 있음
  - Closed-circular DNA의 경우, 덜 감김(underwinding)에 의해 발생

– 덜 감긴 DNA는 예상되는 것보다 적은 수의 나선 회전수를 갖게 됨

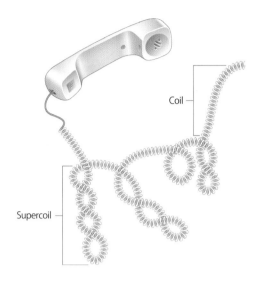

(2) Topoisomerase

• DNA의 덜 감김 정도를 증가 또는 감소시키는 enzyme

• Topoisomerase와 항생제, 항암제

  – Quinolone 계열 항생제: 세균의 DNA gyrase (topoisomerase II) 억제

  – Irinotecan: DNA가 잘려진 topoisomerase–DNA complex의 재결합을 억제하는 항암제

  – Doxorubicin, etoposide: topoisomease–DNA(잘려진) complex를 공유결합 통해 안정화

3) 염색체의 구조

(1) 염색체(chromosome)

• 세포 또는 세포 내 소기관에 유전 정보의 저장고인 핵산 분자

• Mitosis 중인 진핵세포의 핵을 염료로 염색한 후 광학현미경으로 관찰했을 때 진하게 염색되는 물질

(2) 염색질(chromatin)

• 염색질: 세포주기상 간기 또는 분열하지 않고 있는 진핵세포의 chromosomal material로 amorphous

  – 단백질, DNA, 소량의 RNA로 구성된 섬유

(3) 히스톤(histone)

- 염기성 아미노산인 Arg, Lys이 풍부한 염기성 단백질
- 5가지 히스톤이 존재하며, 효소에 의해 methylation, acetylation, glycosylation, ADP-ribosylation, phosphorylation, ubiquitination 형태의 변형 가능 → 염색질의 구조적, 기능적 특성에 영향을 줌

(4) 뉴클레오솜(Nucleosome)

- 뉴클레오솜: DNA와 결합된 히스톤 복합체로 구성된, 염색체의 구조적 단위

- 패킹되어 순차적으로 고차원 구조를 형성함

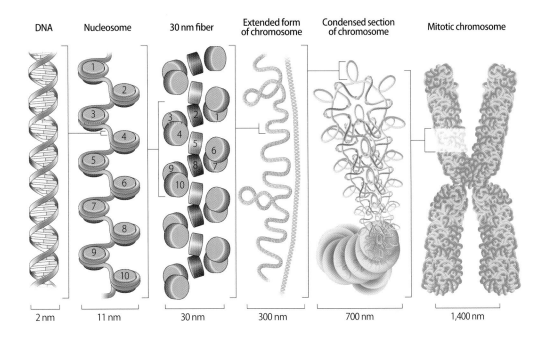

4. DNA 대사

DNA의 복제, 복구, 재조합에 대해 학습한다.

1) DNA 복제
(1) DNA 복제의 기본 법칙
- 반보존적 복제(semiconservative replication)

Original parent molecule

First-generation daughter molecules

Second-generation daughter molecules

• Replication origin으로부터 개시되고, 양방향으로 진행됨
  – Replication origin(복제 기점): 복제가 시작되는 시점
  – Replication fork(복제 분기점): 부모 DNA의 가닥이 풀려지면서
    동시에 나누어진 가닥들이 복제됨

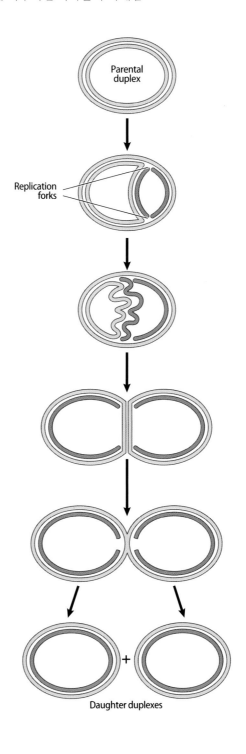

- 5'→3' 방향으로 진행되는 반불연속적(semidiscontinuous) 합성
  - Leading strand: replication fork의 진행방향과 동일하게 합성
  - Lagging strand: replication fork의 진행방향과 역방향으로 합성
  - Okazaki fragment: lagging strand에서 나타나는 DNA의 조각

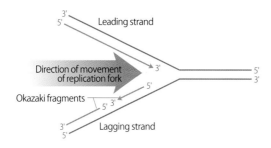

(2) Nuclease에 의해 분해되는 DNA

- Exonuclease: 핵산 분자의 한쪽 끝에서부터 핵산을 분해
- Endonuclease: 핵산 분자의 아무 부위에서나 분해 시작 가능

(3) DNA polymerase에 의해 합성되는 DNA

- DNA polymerase I
  - $(dNMP)_n + dNTP \rightarrow d(NMP)_{n+1} + PP_i$
  - Active site에 2개의 Mg^{2+}이 관여
- DNA 중합에 필요한 2가지 요구 조건
  - Template
  - Primer: nucleotide가 첨가될 수 있는 free 3' hydroxy group을 지닌 template에 상보적인 조각
  - DNA의 복제이지만 RNA가 primer로 작용하는 경우가 많음
- DNA polymerase의 active site
  - 유입되는 nucleotide → insertion site에 위치
  - phosphodiester 형성되면 polymerase가 DNA 앞으로 미끄러지고, 새로운 염기쌍이 postinsertion site에 위치하게 됨

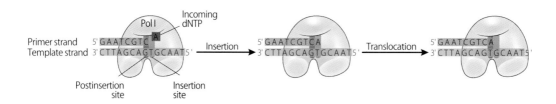

- 연장되고 있는 DNA strand에 nucleotide가 하나 첨가된 후, DNA polymerase는 template에서 해리되거나 template을 따라 이동해서 다음의 nucleotide를 첨가
- Processivity(진행도): polymerase가 해리되기 전에 첨가되는 nucleotide의 평균적인 수

(4) 복제의 정확성

- E. coli의 경우 10^8–10^{10}개의 nucleotide가 더해질 때 1회 정도의 error 발생
- 맞지 않는 nucleotide의 구별: 상보적인 염기간에 형성된 수소결합에 의존
  - 잘못 짝지어진 기하학적 구조는 DNA polymerase의 active site와 들어맞지 않아 phosphodiester 형성되기 전에 제거됨
- DNA polymerase의 exonuclease activity: 잘못 짝지어진 염기에 특이적으로 작용
- Proofreading
  - 잘못된 nucleotide가 첨가되면 polymerase가 다음 nucleotide가 첨가될 부위로 이동이 억제되고 3'→5' exonuclease activity에 의해 잘못 짝지어진 nucleotide가 제거된 이후 다시 중합반응이 진행됨
  - Pyrophosphate가 반응에 참여하지 않으므로 중합의 역반응이 아님
- 염기의 선택, proofreading만 고려하면 10^6–10^8개의 염기가 첨가될 때마다 한번의 error ⇒ 복제 후에도 남아 있는 잘못된 염기쌍을 복구하는 mismatch repair 과정 존재

(5) E. coli의 DNA polymerase

- DNA polymerase I: 복제, 재조합, 복구 등의 과정 동안 정화 기능을 수행
- DNA polymerase II: DNA 복구와 관련됨
- DNA polymerase III: 가장 주된 복제 효소
  - Subunits

Subunit	Number of subunits per holoenzyme	M$_r$ of subunit	Gene	Function of subunit	
α	2	129,900	polC (dnaE)	Polymerization activity	Core polymerase
ε	2	27,500	dnaQ (mutD)	3'→5' Proofreading exonuclease	
θ	2	8,600	holE	Stabilization of ε subunit	
τ	2	71,100	dnaX	Stable template binding; core enzyme dimerization	Clamp-loading (γ) complex that loads β subunits on lagging strand at each Okazaki fragment
γ	1	47,500	dnaX*	Clamp loader	
δ	1	38,700	holA	Clamp opener	
δ'	1	36,900	holB	Clamp loader	
χ	1	16,600	holC	Interaction with SSB	
Ψ	1	15,200	holD	Interaction with γ and χ	
β	4	40,600	dnaN	DNA clamp required for optimal processivity	

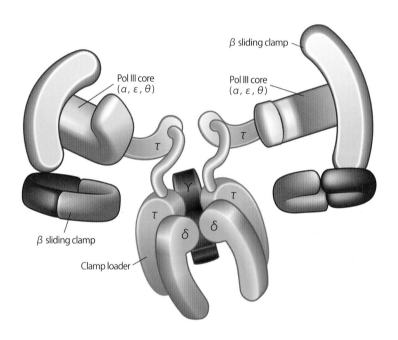

- β sliding clamp: DNA polymerase III가 DNA로부터 해리되는 것 방지
• DNA polymerase IV, V: 특이한 형태의 DNA 복구에 관여

(6) DNA 복제에 필요한 효소와 단백질

- Helicase: template로 작용할 DNA 가닥에 접근하기 위해 두 strand를 분리시키는 효소
- Topoisomerase: helicase에 의해 분리된 DNA 나선구조의 topo-logical stress를 감소시킴
- DNA–binding protein: 분리된 strand를 안정화
- Primase: RNA primer를 생성
  - 최종적으로 RNA primer는 DNA polymerase I에 의해 DNA로 대체됨
- DNA ligase: 남아있는 틈(nick)을 연결

(7) E. coli에서의 복제

- Initiation, elongation, termination의 3단계로 구분

반응이 진행되는 장소와 요구되는 효소의 차이에 따른 구별임

⟨Initiation⟩

- Replication origin: *oriC*라고 함
  - 잘 보존된 DNA 서열 성분으로 되어 있음

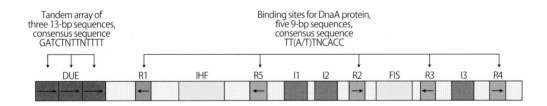

- Initiation에 필요한 단백질들
  - DnaA protein: *oriC* 서열을 인식, replication origin의 특이 부위에서 이중 가닥을 연다.
  - DnaB protein (helicase): DNA를 푼다.
  - DnaC protein: replication origin에서 DnaB의 결합을 위해 필요
  - HU: histonelike protein으로 복제의 개시를 자극하는 DNA–binding protein
  - FIS: 복제 개시를 자극하는 DNA–binding protein
  - IHF: 복제 개시를 자극하는 DNA–binding protein

- Primase (DnaG protein): RNA primer를 합성
- SSB (single-stranded DNA-binding protein): single strand DNA와 결합
- DNA gyrase (DNA topoisomerase II): DNA 풀림에 의해 생성된 긴장 해소
- Dam methylase: *oriC* 부위에 있는 5'GATC 염기서열을 메틸화
- Initiation의 과정
  - DnaA 단백질이 oriC에 결합
  - DnaC 단백질의 도움으로 DnaB 단백질(helicase)이 DNA의 각 strand에 결합
  - DnaB 단백질이 single strand DNA를 따라서 5'→3' 방향으로 이 동하며 DNA 가닥을 풀어냄 → replication fork 형성
  - 복제가 시작되고 DNA 가닥이 replication fork에서 분리됨에 따라 SSB가 single strand DNA에 결합하여 single strand를 안정 화시킴
  - DNA gyrase가 strand를 푸는 과정에서 발생하는 위상학적 긴장 을 완화시킴
  - DNA polymerase III가 DNA에 투입되며 initiation이 완료됨

〈Elongation〉
- Leading strand: replication fork의 진행 방향과 같은 방향으로 DNA 복제가 이루어짐. 연속적인 복제가 일어남
  - Primase가 replication origin에서 RNA primer를 합성
  - DNA polymerase III의 작용으로 primer로부터 DNA 합성이 진행 됨
  - Replication fork에서 DNA의 풀림과 보조를 맞추어 지속적으로 진행
- Lagging strand: replication fork의 진행과 반대 방향으로 DNA 복제가 이루어짐. 불연속적으로 복제가 일어나며, 각각의 불연속적 인 DNA 조각을 Okazaki fragment라 함
- 두 strand는 하나의 DNA polymerase III에 의해 중합되므로 두 strand의 coordination이 필요함 → lagging strand의 DNA를 고리 형태로 구부러뜨려 중합반응이 일어나는 두 지점을 한 곳으로 모음

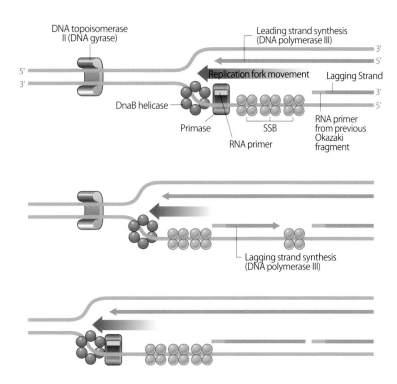

- Okazaki fragment들의 연결
  - DNA polymerase I에 의해 RNA primer가 제거된 후 DNA로 치환됨
  - 남아있는 틈은 DNA ligase에 의해 접합됨

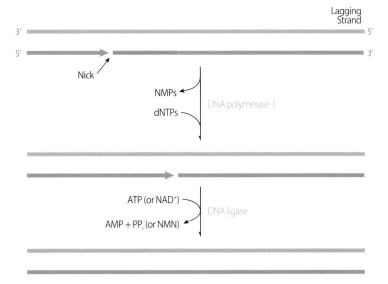

〈Termination〉

- E. coli의 원형 염색체의 두 replication fork는 Ter 서열에서 만나게 됨
- Ter에서 위상학적으로 연결된 2개의 DNA가 형성되며, DNA topoisomerase IV에 의해 분리됨.

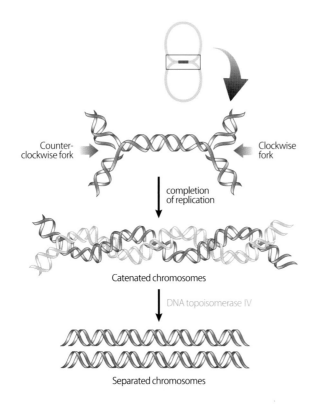

Counter-clockwise fork

Clockwise fork

completion of replication

Catenated chromosomes

DNA topoisomerase IV

Separated chromosomes

2) DNA 복구
(1) 세포의 다양한 DNA 복구 시스템

- 2개의 상보적인 strand로 이루어져 있어, 손상 받지 않은 strand를 template로 해서 repair
- Mismatch repair: template과 새로 만들어진 strand를 구별하기 위해 template에 methylation – by Dam methylase
- Base-excision repair: 비정상 염기(uracil, hypoxantine, xantine), alkylated base 형태로 손상된 경우
  - DNA glycosylase: 흔한 DNA의 손상 부위를 인지하고, N-glycoside 결합을 끊어 손상된 염기를 제거함 → AP site (abasic site)를 형성

사람의 mismatch repair 이상(hMLH1, hMSH2의 돌연변이)은 HNPCC (hereditary nonpolyposis colon cancer)를 유발한다.

AP endonuclease, DNA polymerase I, DNA ligase

Nucleotide excision repair의 이상에 의한 유전질환의 예로 xeroderma pigmentosum이 있다.

- AP site는 다른 enzyme들에 의해 복구됨
- Nucleotide-excision repair: DNA 구조에 커다란 변형을 일으키는 DNA 손상에 대한 복구
  - Excinuclease, DNA polymerase I, DNA ligase가 관여
- Direct repair: 염기나 nucleotide의 제거 없이 복구
  - DNA photolyase: pyrimidine dimer를 2개의 pyrimidine으로 분리시킴

(2) 복제 분기점과 DNA 손상 간의 상호작용 → error prone translesion DNA 합성

- 상보적인 template 자체가 손상되거나 존재하지 않는 경우
  - Double strand의 절단이나 교차연결
  - single strand DNA의 손상
  - 대부분 replication fork가 복구되지 않은 손상부위와 만날 때 발생

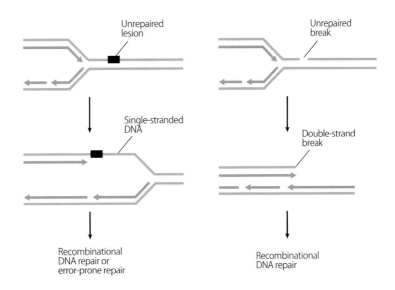

- Recombinational DNA repair: 다른 상동 염색체로부터 정보를 받음 → 정확한 복구가 가능
- Error-prone translesion DNA synthesis: DNA 복구가 부정확하게 이루어지고, 돌연변이가 높은 빈도로 발생
  - 'SOS response'라 불리는 광범위한 DNA 손상에 대한 세포의 스트레스 반응의 한 부분

3) DNA 재조합
(1) 상동 재조합(homologous recombination)

• 과정

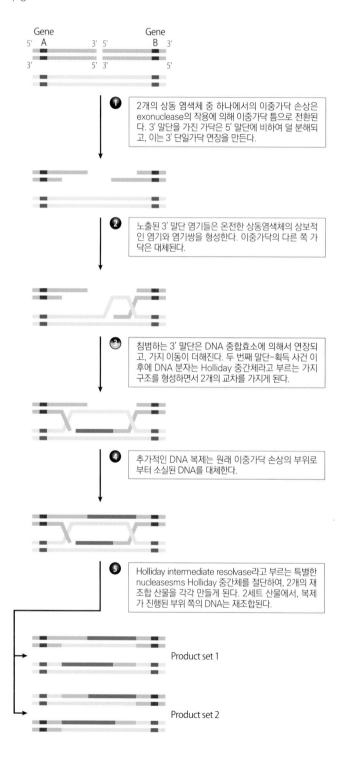

① 2개의 상동 염색체 중 하나에서의 이중가닥 손상은 exonuclease의 작용에 의해 이중가닥 틈으로 전환된다. 3' 말단을 가진 가닥은 5' 말단에 비하여 덜 분해되고, 이는 3' 단일가닥 연장을 만든다.

② 노출된 3' 말단 염기들은 온전한 상동염색체의 상보적인 염기와 염기쌍을 형성한다. 이중가닥의 다른 쪽 가닥은 대체된다.

③ 침범하는 3' 말단은 DNA 중합효소에 의해서 연장되고, 가지 이동이 더해진다. 두 번째 말단-획득 사건 이후에 DNA 분자는 Holliday 중간체라고 부르는 가지 구조를 형성하면서 2개의 교차를 가지게 된다.

④ 추가적인 DNA 복제는 원래 이중가닥 손상의 부위로부터 소실된 DNA를 대체한다.

⑤ Holliday intermediate resolvase라고 부르는 특별한 nucleasesms Holliday 중간체를 절단하여, 2개의 재조합 산물을 각각 만들게 된다. 2세트 산물에서, 복제가 진행된 부위 쪽의 DNA는 재조합된다.

Product set 1

Product set 2

- 세균의 상동 재조합 – 기본적으로 DNA 복구 과정임
- 진핵생물의 상동 염색체 재조합: 교차(crossing over)
  - Meiosis 중 높은 빈도로 일어나 상동 염색분체 사이에 유전 정보의 교환이 일어나며, 유전적 다양성을 갖게 함.

(2) 자리-특이 재조합(site-specific recombination)

- 특정 염기 서열에서만 일어남
  - Recombinase와 recombinase가 작용하는 고유한 DNA 서열이 필요함
- 과정

site-specific endo-nuclease와 ligase를 하나의 패키지로 갖는다고 볼 수 있음

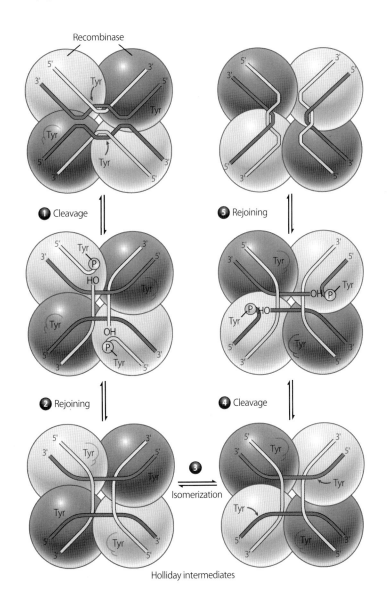

Holliday intermediates

- 2개의 recombinase가 2개의 DNA상의 재조합 부위를 각각 인식하여 결합
- 각 부위에 있는 DNA의 한 가닥이 부위 내의 특정 지점에서 절단되고, recombinase는 절단된 부위의 DNA와 공유결합
- 절단된 DNA 가닥은 단백질−DNA 결합의 에너지를 소비하여 생성된 새로운 phosphodiester 결합을 통해서 새로운 짝과 재결합하며, 이 과정에서 Holliday intermediate 형성됨
- Isomerization
- 두 재조합 부위 각각의 내부 두 번째 지점에서 같은 반응이 반복됨.
• 하나의 DNA 내에서 자리−특이 재조합이 일어나면 DNA의 역위, 결실이 발생 가능

(3) Transposable genetic elements (transposons)
• 염색체 상의 한 곳(donor site)에서 다른 곳으로(acceptor site)로 이동하는 DNA 조각
• Transposase와 transposon 말단의 반복 구조에 의해 다른 곳으로 이동

5. RNA 대사

RNA의 합성과 가공 과정에 대해 학습한다.

1) DNA-의존 RNA 합성
(1) RNA polymerase
• DNA−dependent RNA polymerase
- DNA template, Mg^{2+}, ATP, GTP, CTP, UTP를 필요로 함
- 5'→3' 방향으로 RNA 사슬을 연장시켜 RNA를 합성
- DNA polymerase와 달리 primer를 필요로 하지 않음
- $(NMP)_n + NTP \rightarrow (NMP)_{n+1} + PP_i$
• Transcription의 initiation
- RNA polymerase가 promoter라고 불리는 DNA의 특정 서열에 결합하며 시작
• Transcription "bubble"
- RNA polymerase가 DNA 중 한 strand에 상보적인 RNA를 합성하

기 위해 DNA double strand가 짧은 구간에서 풀리며 형성한 모양

- Transcription bubble이 이동되기 위해서는 DNA 분자의 strand
가 회전되어야 하지만, 대부분의 DNA에서 DNA strand의 회전은
DNA binding protein에 의해 제한되어 supercoil 형성 ⇒ topoi-
somerase에 의해 긴장이 해소됨

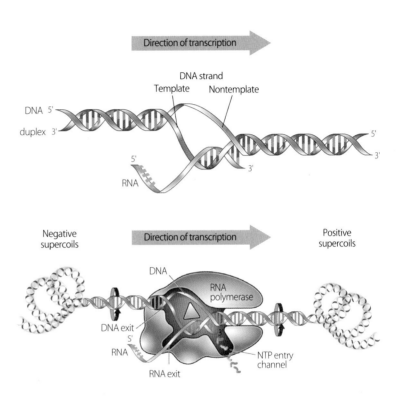

- **Template strand**: RNA 합성에 template으로 작용하는 strand
- **Non-template strand = coding strand**: 전사되는 RNA와 염기 서
열이 같음

(5') C G C T A T A G C G T T T (3')   DNA nontemplate (coding) strand

(3') G C G A T A T C G C A A A (5')   DNA template strand

(5') C G C U A U A G C G U U U (3')   RNA transcript

- 특정 유전자에 대한 coding strand는 염색체의 두 strand 중 어느
하나에 위치함

- 전사를 조절하는 조절 염기 서열은 관례적으로 coding strand의 서열로 표기함
- E. coli의 RNA polymerase
  - 5개의 핵심 소단위($\alpha_2\beta\beta'\omega$)와 σ라고 하는 6번째 소단위로 구성됨
  - σ: 일시적으로 핵심 소단위와 결합하여 DNA상의 특정 결합 자리에 RNA polymerase를 위치시킴
- RNA polymerase의 특징
  - 3'→5' 방향의 exonuclease 활성이 없어 proofreading을 하지 못함
  - 10^4-10^5개의 염기당 하나의 변이가 발생

(2) Promoter에서 시작되는 RNA 합성

- Promoter: RNA polymerase가 결합하는 DNA의 특정 염기 서열
  - Promoter의 인접 부위(gene)에서 transcription이 시작되도록 함
- Consensus sequence
  - −10 부위에서 (5')TATAAT(3')
  - −35 부위에서 (5')TTGACA(3')
  - UP element (upstream promoter element): AT가 풍부한 인식 부위로 40~−60에 존재하며 RNA polymerase의 소단위와 결합

(3) 전사(transcription)의 조절

- 대부분 RNA polymerase와의 결합, transcription의 initiation 단계에서 일어남
- 단백질: promoter에 가까이 위치한 서열 또는 멀리 떨어진 서열에 결합함으로써 gene expression의 수준에 영향 미침
  - Transcription의 activation, inhibition 모두 가능
  - Activator의 예: CRP (cAMP receptor protein)
  - Repressor의 예: Lac repressor

> 포도당 없는 조건에서 세포를 키울 때, 포도당 이외의 다른 당을 대사하는 데 필요한 유전자의 transcription을 증가시킴
>
> lactose가 결핍되었을 때, lactose를 대사하는 효소들에 대한 유전자의 transcription을 억제

(4) RNA 합성을 종료시키는 signal로 작용하는 서열

- RNA polymerase: 특정 DNA sequence를 만나면 합성이 중단됨
- E. coli에서의 2가지 합성 종료 신호
  - ρ−independent terminator
  - ρ−dependent terminator
- ρ−independent terminator
  - Self−complementary sequence의 RNA를 합성 ⇒ RNA strand

RNA-DNA hybrid seg-ment에서 몇 개의 A=U를 끊어 RNA와 RNA polymerase 사이의 상호작용을 방해함으로써 transcription된 RNA의 분리를 촉진함

의 튀어나온 말단으로부터 15-20개의 nucleotide 부위에 중심을 둔 hairpin 구조를 형성

- DNA template의 보존된 3개의 연이은 A 잔기가 hairpin의 3' 말단 근처에 U 잔기로 전사됨
- RNA polymerase가 이러한 구조의 종료 부위에 도착하면 멈춤

• ρ-dependent terminator

- Template에 반복되는 A 서열이 없음
- rut (rho utilization)라고 하는 CA-rich sequence 포함
- ρ 단백질이 특정 결합자리에서 RNA와 만나 종료 부위에서 잠시 멈추어 있는 전사 복합체에 도달할 때까지 5'→3' 방향으로 이동하여 RNA 전사물의 방출을 일으킴
- ρ 단백질은 RNA를 따라 단백질의 이동을 촉진시키는 ATP-dependent helicase 활성을 지니며, ATP가 종료 과정이 일어나는 동안 ρ 단백질에 의해 가수분해됨.

(5) 진핵 세포의 핵 RNA polymerase

• RNA polymerase I (Pol I)

- Preribosomal RNA (pre-rRNA) 합성
- 18S, 5.8S, 28S rRNA의 전구체 합성

• RNA polymerase II (Pol II)

- mRNA와 일부 특수한 RNA를 합성
- 서열이 매우 다양한 수천 개의 promoter를 인지 가능
- -30 가까이 위치한 TATA box와 +1 부근에 있는 Inr 서열을 인지

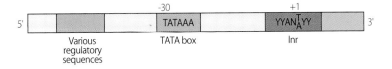

• RNA polymerase III (Pol III)

- tRNA와 5S rRNA, 기타 작은 RNA들을 합성

(6) RNA polymerase II의 활성화에 필요한 단백질들

• 진핵세포의 Pol II promoter에서 전사의 개시에 필요한 단백질들

Transcription protein	기능
Pol II	RNA 합성을 촉매
TBP (TATA-binding protein)	TATA box를 인식
TFIIA	TFIIB와 TBP의 promoter와의 결합을 안정화
TFIIB	TBP와 결합, Pol II-TFIIF complex를 끌어들임
TFIID	TATA box 없는 promoter에서의 initiation에 필요
TFIIE	TFIIH를 끌어들임, ATPase, helicase activity 가짐
TFIIF	Pol II와 강하게 결합, TFIIB와 결합하여 Pol II가 비특이적 DNA 서열과 만나는 것 방지
TFIIH	promoter에서 DNA를 품(helicase activity), Pol II를 인산화시킴, nucleotide-excision repair protein을 끌어들임

〈Promoter에서 RNA polymerase와 transcription factor의 조합〉

• TBP가 TATA box에 결합하면서 closed complex● 형성이 시작됨 ⟶ initiation 전 complex
  – TATA box가 없는 promoter에서는 TBP가 TFIID에 도착
• TBP가 TFIIB와 결합, 뒤이어 TFIIA가 결합
  – TFIIA, TFIIB가 TBP-DNA 복합체를 안정화시킴
• TFIIB-TBP complex가 TFIIF와 Pol II로 구성된 복합체와 결합
• TFIIF가 TFIIB와의 상호작용하거나, polymerase가 DNA의 비특이적 부위에 결합하는 것을 줄여서 pol II가 promoter로 targetting하는 것을 도와줌
• TFIIE와 TFIIH가 결합하여 closed complex를 형성
• TFIIH의 DNA helicase activity에 의해 open complex● 형성 ⟶ initiation complex

〈RNA 전사의 initiation와 promoter clearance〉

• TFIIH의 kinase activity에 의해 Pol II의 인산화 ⇒ 복합체의 conformational change를 유도 ⇒ transcription의 initiation
  – Transcription이 진행됨에 따라 Pol II의 인산화 정도가 변동됨
• RNA의 처음 60-70 nucleotide가 합성되는 동안 TFIIE, TFIIH가 차례로 유리되고, Pol II는 transcription의 elongation 단계로 들어감

〈Elongation, termination, release〉

- TFIIF: elongation의 전체 과정 동안 Pol II와 결합
  - Elongation factor들에 의해 polymerase의 activity가 향상됨
- RNA 합성이 완결되면 transcription이 종료되고, Pol II는 탈인산화 되어 재활용됨

transcription이 일어나는 동안 멈추는 것을 억제하고, post-transcriptional processing에 관여하는 단백질 복합체들 사이의 상호작용을 조율함

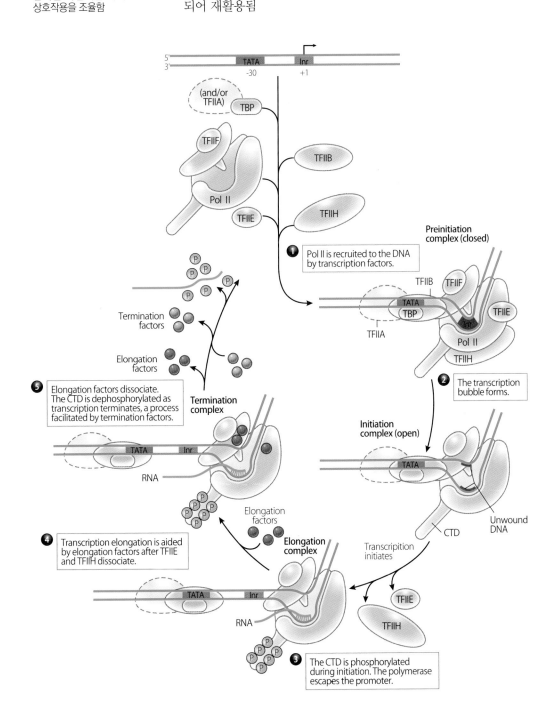

(7) DNA-dependent RNA polymerase의 저해제

- Actinomycin D: RNA polymerase에 의한 RNA 사슬의 연장을 억제
- Rifampicin: 세균성 RNA polymerase에 결합, transcription의 promoter clearance step을 저해
- α-amanitin: 동물세포에서 Pol II, Pol III를 억제

2) RNA의 가공

(1) mRNA의 5' capping

- 5' cap
  - mRNA의 5' 말단에 5', 5'-triphosphate linkage로 결합된 7-methylguanosine
  - mRNA를 RNase로부터 보호
  - Cap이 씌워지고 나면 capping enzyme과 분리되고, cap-binding complex와 결합 → translation을 개시하기 위해 ribosome과 결합하는 데 관여

(2) Splicing

- Intron을 제거하고 exon만 남기는 과정
- Group I, group II intron의 splicing
  - Enzyme을 필요로 하지 않음: self-splicing
  - ATP를 필요로 하지 않고, 2개의 에스터 교환반응이 관여
- Spliceosomal intron   — 세 번째 부류의 intron(숫자로 표기 안함)
  - Spliceosome이라는 단백질 복합체 내에서 촉매작용에 의해 제거됨
  - Spliceosome은 snRNP (small nuclear ribonucleoprotein)를 형성
  - 각각의 snRNP는 snRNA (small nuclear RNA)를 함유
  - RNA의 절단과 연결에 ATP를 필요로 하지 않음
- 네 번째 부류의 intron
  - ATP, endonuclease를 필요로 함

(3) mRNA의 poly-A tail

- 3' 말단의 poly-A tail
  - 80-250개의 A 잔기
  - 단백질에 대한 결합자리로 작용

－단백질이 결합하면 mRNA가 분해되는 것을 억제함

　cf) 세균 mRNA의 poly-A tail: mRNA의 분해를 촉진

• 전형적인 진핵생물 mRNA의 전체적인 가공 과정

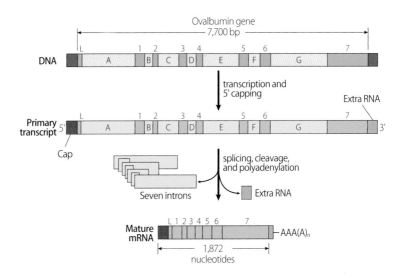

(4) microRNA

• 유전자 조절에 관여하는 특별한 형태의 RNA

• non-coding RNA로 22 nucleotide 정도의 길이

• mRNA의 특정 부위에 상보적인 서열

• mRNA를 자르거나 translation을 억제하여 mRNA의 기능을 조절
함

6. 단백질 대사

단백질의 합성과 분해에 대해 학습한다.

1) 유전 부호
(1) 유전 부호

- Codon: 단백질의 아미노산 배열을 규정하는 mRNA의 3염기 배열

First letter of codon (5' end)
Second letter of codon

	U		C		A		G	
U	UUU	Phe	UCU	Ser	UAU	Tyr	UGU	Cys
	UUU	Phe	UCC	Ser	UAC	Tyr	UGC	Cys
	UUA	Leu	UCA	Ser	UAA	Stop	UGA	Stop
	UUG	Leu	UCG	Ser	UAG	Stop	UGG	Trp
C	CUU	Leu	CCU	Pro	CAU	His	CGU	Arg
	CUC	Leu	CCC	Pro	CAC	His	CGC	Arg
	CUA	Leu	CCA	Pro	CAA	Gln	CGA	Arg
	CUG	Leu	CCG	Pro	CAG	Gln	CGG	Arg
A	AUU	Ile	ACU	Thr	AAU	Asn	AGU	Ser
	AUC	Ile	ACC	Thr	AAC	Asn	AGU	Ser
	AUA	Ile	ACA	Thr	AAA	Lys	AGA	Arg
	AUG	Met	ACG	Thr	AAG	Lys	AGG	Arg
G	GUU	Val	GCU	Ala	GAU	Asp	GGU	Gly
	GUC	Val	GCC	Ala	GAC	Asp	GGC	Gly
	GUA	Val	GCA	Ala	GAA	Glu	GGA	Gly
	GUG	Val	GCG	Ala	GAG	Glu	GGG	Gly

- 개시 코돈: AUG
- 종결 코돈: UAA, UGA, UAG
- ORF (open reading frame): 50개 이상의 코돈에서 종결 코돈이 없는 reading frame

(2) Wobble 현상

- tRNA의 anticodon
  - mRNA의 codon과 염기쌍을 형성하여 codon을 인식
  - inosinate (I)를 갖는 tRNA ⇒ I는 U, C, A 모두와 약한 수소결합 형성 가능

		3 2 1	3 2 1	3 2 1	
Anticodon	(3')	G-C-I	G-C-I	G-C-I	(5')
Codon	(5')	C-G-A	C-G-U	C-G-C	(3')
		1 2 3	1 2 3	1 2 3	

- Wobble hypothesis
  - mRNA codon의 처음 2 염기는 anticodon의 대응 염기와 강한 염기쌍을 형성하며 이것이 부호 특이성의 대부분을 결정
  - anticodon의 첫 번째 염기는 동일한 아미노산을 부호화하는 codon을 1개 이상 읽을 수 있음
  - 아미노산이 몇 가지 codon에 의해 부호화되는 경우, 처음 2 염기 중 어느 하나라도 다른 codon은 서로 다른 tRNA를 필요로 함
  - 아미노산을 부호화하는 61가지의 codon을 번역하는데 최소한 32가지 tRNA가 필요
- Codon의 3번째 염기가 anticodon의 염기와 약하게 결합하는 것은 단백질 합성 과정 중에 tRNA가 mRNA의 codon으로부터 신속하게 분리되는 것을 도움

(3) mRNA sequence의 mutation

- Silent mutation: 같은 아미노산을 coding하는 codon으로 염기가 변한 것
- Missense mutation: codon의 변화로 다른 아미노산이 coding됨
- Nonsense mutation: 종결 codon으로 변해 단백질 합성이 정지됨
- Frame shift: 3의 배수가 아닌 수만큼의 염기가 mRNA에서 첨가 또는 소실되어 translation을 위한 codon이 모두 바뀌어 전혀 다른 아미노산 서열의 단백질이 합성됨
- RNA editing: RNA에서 뉴클레오타이드의 첨가, 삭제 또는 변동을 일으켜 번역될 때 변화를 일으킴

2) 단백질 합성
(1) 단백질 합성의 5단계

- 1단계: 아미노산의 활성화
- 2단계: Initiation
- 3단계: Elongation
- 4단계: termination과 ribosome의 재활용
- 5단계: folding과 post translational processing

(2) Ribosome

- rRNA와 단백질로 구성됨
- E. coli의 ribosome: 30S + 50S = 70S

- 진핵세포의 ribosome: 40S + 60S = 80S
- tRNA와의 결합 site로 A (aminoacyl) site, P (peptidyl) site, E (exit) site가 있음

(3) 1단계, aminoacyl-tRNA의 합성

- 아미노산을 tRNA에 정확히 결합 by aminoacyl-tRNA synthetase
  - 하나의 아미노산에 대해 하나의 aminoacyl-tRNA synthetase가 존재
- 아미노산 + tRNA + ATP → aminoacyl-tRNA + AMP + 2phosphate
- tRNA의 aminoacylation의 목적
  - Peptide 결합 형성을 위한 아미노산의 활성화
  - 연장하는 polypeptide 사슬 내에서 아미노산의 적절한 배치가 되도록 함
- 각각의 aminoacyl-tRNA synthetase는 아미노산과 tRNA 모두에 대해 특이적임
- Aminoacyl-tRNA synthetase의 proofreading 기능
  - 잘못된 아미노산으로 charging된 tRNA에서 아미노산과 tRNA간의 결합을 빠르게 가수분해함

(4) 2단계, initiation

- 특정 아미노산에서 단백질 합성이 시작됨
  - AUG codon: 시작 codon이면서, Met을 coding함
  - 원핵세포에서의 시작은 반드시 N-formylmethionine
  - 진핵세포에서의 시작은 Met
- 세균에서 Initiation에 필요한 요소
  - 30S subunit, mRNA, initiating fMet-tRNA^{fMet}, initiation factors (IF-1, IF-2, IF-3), GTP, 50S subunit, Mg^{2+}
  - Initiation complex의 형성은 3단계에 걸쳐 일어나게 됨
- 1단계: 30S subunit이 IF-1, IF-3에 결합 후 mRNA와 결합
  - IF-3: 30S와 50S가 미성숙하게 결합되는 것 방지
  - mRNA의 Shine-Dalgarno sequence에 의해 AUG가 30S의 적절한 곳에 위치함
- Ribosome의 tRNA binding site
  - Aminoacyl (A) site: elongation 단계에서 aminoacyl-tRNA가

> 대응하는 tRNA가 2가지 존재함 - initiation으로만 사용되는 것과 사슬 내부의 Met에 대한 것

결합하는 site Initiation 과정 중에 IF-1과 결합하여 tRNA의 결합
이 방해됨

P site에 최초로 결합하는 aminoacyl tRNA

- Pepidyl (P) site: fMet−tRNAf^{fMet}가 결합 가능한 유일한 자리
- Exit (E) site: uncharged tRNA와만 결합
- 2단계: 30S subunit, IF-3, mRNA로 구성된 복합체가 GTP와 결합
한 IF-2와 initiating fMet−tRNA^{fMet}와 결합
- 3단계: 2단계에서 생성된 complex에 50S subunit이 결합하면서,
IF-2의 GTP는 가수분해되어 방출되고, IF-1, IF-2, IF-3도 ribo-
some으로부터 방출되어 initiation complex (70S ribosome) 형성

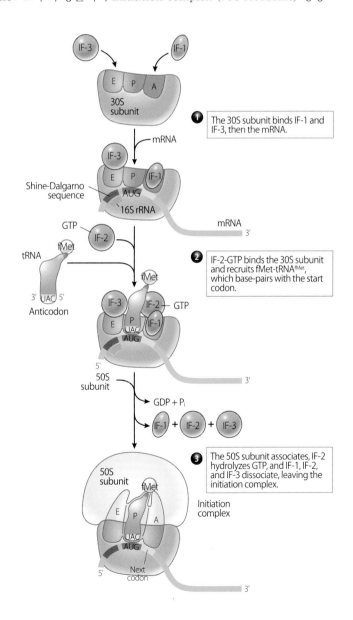

(5) 3단계, elongation

- Elongation 단계에서 peptide 결합이 생성되며 3단계로 구성됨
- Initiation complex (70S ribosome), aminoacyl-tRNA, elongation factors (EF-Tu, EF-Ts, EF-G), GTP를 필요로 함
- 1단계: 도입되는 aminoacyl-tRNA의 결합
  - 적절히 도입되는 aminoacyl-tRNA가 GTP가 붙은 EF-Tu에 결합하여 aminoacyl-tRNA-EF-Tu-GTP complex 형성 후 70S ribosome의 A site에 결합
  - GTP가 가수분해되어 EF-Tu-GDP 복합체가 70S ribosome에서 분리됨
  - EF-Tu-GTP EF-Ts와 GTP가 관여하는 반응에서 재생됨

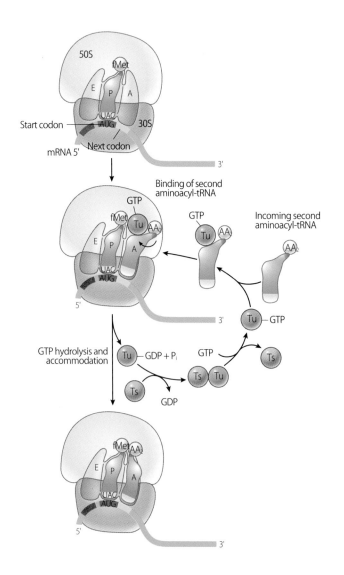

- 2단계: peptide 결합의 형성
  - tRNA에 의해 ribosome의 A site와 P site에 결합된 아미노산간의 peptide 결합 형성
  - initiating tRNA의 N-formylmethionine이 A site의 두 번째 아미노산의 amino group으로 전달됨으로써 진행됨
  - 반응 결과 A site에 dipeptidyl-tRNA가 형성되고, P site에 uncharged tRNA[fMet]가 결합된 채로 남게 됨
  - tRNA가 ribosome의 2개의 다른 자리에 각각 걸친 요소들과 함께 혼성 결합 상태로 바뀜

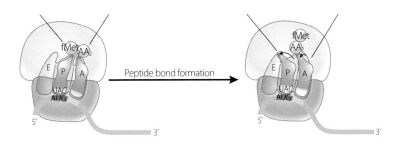

- 3단계: translocation
  - Ribosome이 mRNA의 3' 말단으로 한 codon씩 이동
  - mRNA의 두 번째 codon에 계속 결합되어 있는 dipeptidyl-tRNA의 anticodon을 A site에서 P site로 이동시키고, uncharged tRNA를 P site에서 E site로 이동시킴
  - uncharged tRNA는 E site에서 세포질로 방출됨
  - 3번째 codon이 A site, 2번째 codon이 P site에 있게 됨
  - mRNA를 따라 ribosome이 이동하는데 EF-G (translocase)가 필요하며, 이 때 GTP가 가수분해 됨
  - translocation 후 dipeptidyl-tRNA와 mRNA가 결합된 ribosome이 3번째 아미노산의 첨가 반응을 준비함
  - Polypeptide는 최후에 삽입된 아미노산의 tRNA에 결합된 상태로 존재함

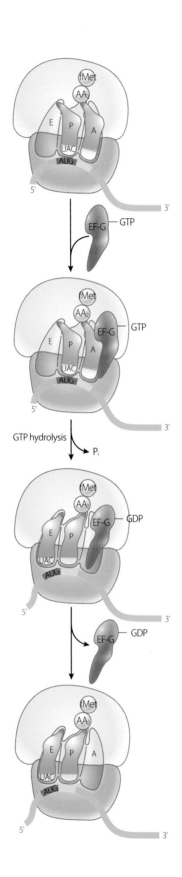

(6) 4단계, termination과 ribosome의 재활용

- Elongation: mRNA에 coding된 최종 아미노산을 첨가할 때까지 계속됨
- 종결 codon (UAA, UGA, UAG)을 만나는 것이 termination의 signal이 됨
- 종결 codon이 A site에 도달하면 termination factor (release factor)인 RF-1, RF-2, RF-3 단백질에 의해 말단의 peptidyl-tRNA 결합을 가수분해 하고, 유리된 polypeptide와 uncharged tRNA를 P site로부터 해리시키며, 70S ribosome이 30S와 50S로 분리됨
- RF-1이나 RF-2가 종결 codon에 결합하면 peptidyl transferase는 연장된 polypeptide를 H_2O에 전이시킴
- RF-3: ribosome의 소단위를 해리시킴

UAA, UAG를 인식

UAA, UGA를 인식

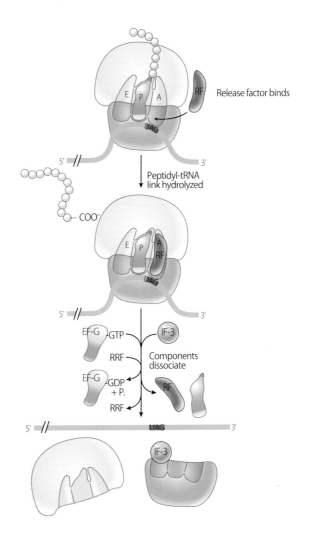

- Polysome에 의한 1개의 mRNA의 신속한 번역
  - 한 분자의 mRNA가 여러개의 ribosome에 의해 동시에 번역되어
    mRNA의 사용 효율을 높임 ·········· 10-100개의 ribosome을
    갖고 있는 cluster
- 세균에서 transcription과 translation의 coupling
  - mRNA가 5'→3' 방향으로 합성되는 동안에 ribosome이 mRNA의
    5' 말단을 번역하기 시작

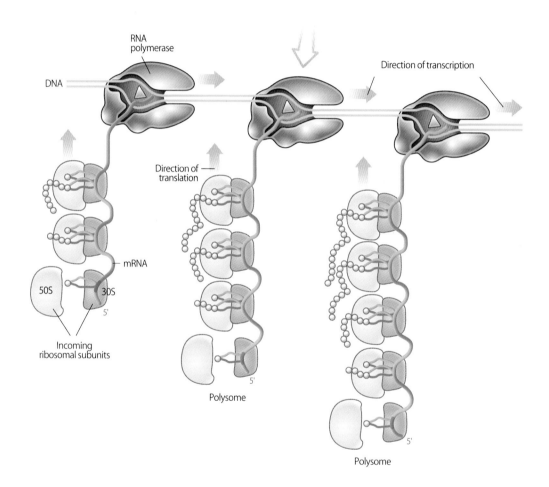

- 진핵 세포: 새로 합성된 mRNA는 번역되기 전 cytoplasm으로 운반
  되어야 함

(7) 5단계, folding과 post translational processing

- N-terminal과 C-terminal의 변형
  - N-terminal의 N-formylmethionine이나 Met는 보통 enzyme에 제거됨
  - 진핵 세포 단백질의 50% 정도는 N-terminal 잔기의 amino group이 N-acetylation 됨
- Signal sequence의 제거
  - Specific peptidase에 의해 제거됨
- 개별 아미노산의 변형
  - Ser/Thr/Tyr의 -OH에 인산화
  - Glu에 여분의 carboxyl group이 첨가
  - Methylation 등
- carbohydrate side chain의 부착
- Isoprenyl group의 첨가
- Prosthetic group의 첨가
- 단백질 분해에 의한 가공
- Disulfide bond의 형성

> 일부 단백질의 N-terminal에 15-30개의 잔기로 이루어진 polypeptide sequence로 단백질을 세포 내 최종 목적지로 인도하는 역할을 함
>
> 13p 참고

(8) 단백질 합성의 저해제

- Puromycin
  - aminoacyl-tRNA의 3' 말단과 유사한 구조
  - ribosome의 A site에 결합하여 peptide 결합 형성
  - translocation이 불가능해져 polypeptide 합성을 조기 종결시킴
- Tetracyclin
  - aminoacyl-tRNA가 ribosome의 A site에 결합하는 것을 억제 ⇒ 세균의 단백실 합성 억제
- Chloramphenicol
  - peptide의 translocation을 억제 ⇒ 세균의 단백질 합성 억제
- Cycloheximide
  - 진핵세포의 80S ribosome의 peptidyl transferase 억제
- Streptomycin
  - 저농도에서는 유전 부호를 misreading하게 하고, 고농도에서는 initiation을 억제
- Diphteria toxin
  - 진핵세포의 elongation factor인 eEF2의 변형된 His 잔기인

diphthamide의 ADP−ribosylation을 촉매하여 eEF2를 불활성화
시킴

- Ricin
  - 진핵세포 ribosome의 60S subunit을 불활성화시킴
  - 23S rRNA에 있는 adenosine을 탈퓨린화시킴

3) 단백질의 분해
(1) Ubiquitin

- 분해가 예정된 단백질에 E1 activating enzyme, E2 conjugating
  enzyme, E3 ligase의 3가지 효소가 관여하는 ATP−의존 경로에 의
  해 공유결합됨
- 유비퀴틴화된 단백질 → 26S proteasome으로 알려진 거대 복합체
  에 의해 분해됨

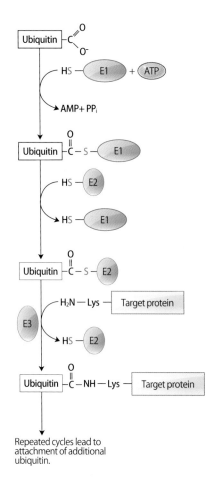

7. 유전자 발현의 조절

유전자 발현이 어떻게 조절되는지 학습한다.

1) 유전자 조절의 원리
(1) 안정 상태의 단백질 농도에 영향을 미치는 과정들

- mRNA의 합성: transcription
- mRNA의 posttranscriptional modification
- mRNA의 분해
- 단백질 합성: translation
- 단백질의 posttranslational modification
- 단백질의 표적화와 운반
- 단백질 분해

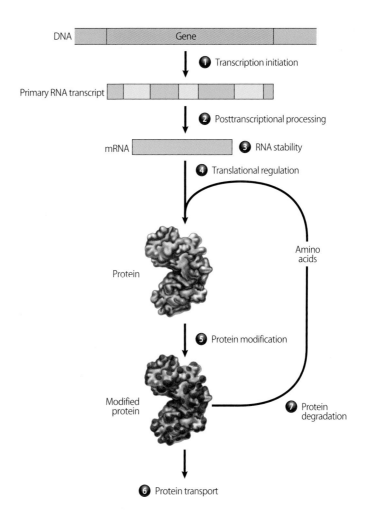

(2) Promoter 또는 promoter 근처에 결합하는 단백질에 의해 조절되는 transcription의 개시

- Repressor: RNA polymerase가 promoter에 접근하는 것을 방해
- Activator: RNA polymerase-promoter 상호작용을 촉진
- Operator: repressor가 DNA상에 결합하는 binding site
- Effector: repressor에 결합하여 conformational change를 일으키는 단백질 또는 작은 분자
  - Repressor와 effector 간의 상호작용에 의해 transcription이 증가 또는 감소함
  - Conformational change가 DNA에 결합한 repressor를 operator 로부터 분리시킴으로써 transcription이 진행되기도 함
- Negative regulation: transcription을 방해하는 repressor에 의한 조절

(A) Negative regulation
Molecular signal causes dissociation of repressor from DNA, inducing transcription.

(B) Negative regulation
Molecular signal causes binding of repressor to DNA, inhibiting transcription.

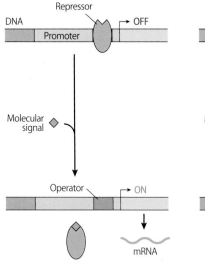

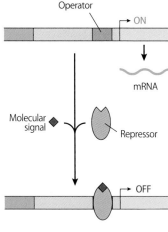

• Positive regulation: transcription을 촉진하는 activator에 의한
조절

(C) Positive regulation
Molecular signal causes dissociation of
activator from DNA, inhibiting transcription.

(D) Positive regulation
Molecular signal causes binding of
activator to DNA, inducing transcription.

- Enhancer: 진핵세포에서 promoter에서 상당히 떨어진 곳의 DNA
  에 위치하는 activator가 결합하여 transcription 속도에 영향을 미
  치는 위치
  - 진핵세포는 activator 또는 repressor의 binding site와 promoter
    사이의 DNA를 ring으로 만들어 연결함

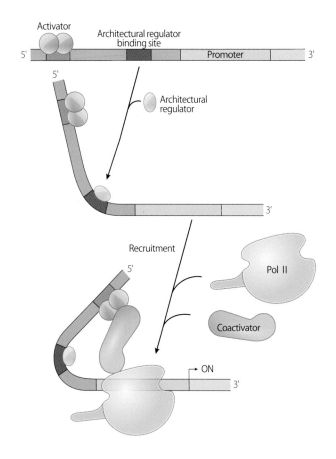

(3) Operon에서 집단으로 존재하고 발현이 조절되는 세균의 유전자

- Polycistronic mRNA: 한 mRNA 안에 여러개의 유전자가 집단으로
  존재
  - 집단의 전사를 개시하는 하나의 promoter가 집단의 모든 유전자
    발현을 조절
- 유전자 group, promoter, regulatory sequence를 합하여 operon
  이라 함
  - 대부분의 operon은 2-6개의 유전자를 포함

• 대표적인 세균의 operon 구조

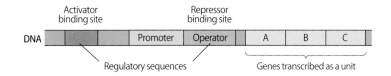

2) 세균에서 유전자 발현의 조절

(1) lac operon

- E. coli의 lactose metabolism
  - β–galactosidase: lactose를 galactose와 glucose로 분해
  - galactoside (lactose) permease: lactose를 세포 속으로 이동시킴

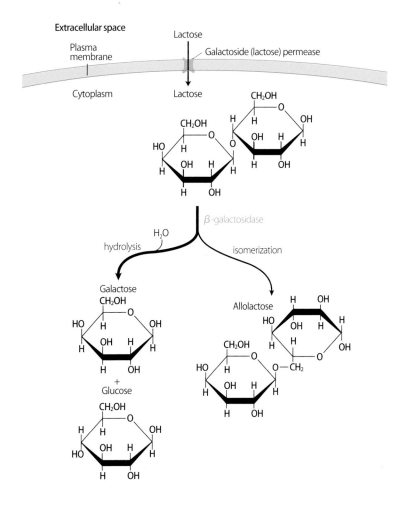

- lac operon: lactose의 대사와 관련된 3개의 유전자가 존재
  - β−galactosidase (Z)
  - galactoside permease (Y)
  - thiogalactoside transacetylase (A) .... 세포 밖 배출을 촉진하기 위해 독성이 있는 galactoside를 변화시키는 것으로 추정됨
- lac operon의 구조

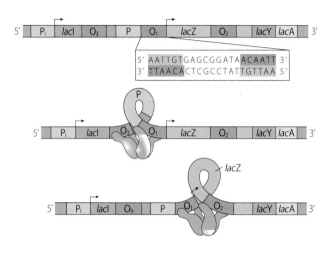

- *lacI*: lac repressor를 coding
- O_1, O_2, O_3: operator
- Lac repressor
- O_1과 단단하게 결합
- O_2: β−galactosidase (Z) gene의 내부에 존재
- O_3: *lacI* gene 내부에 존재
  ⇒ O_1과 O_2 또는 O_3 중 하나와 동시에 결합하여 DNA를 ring 형태로 돌출시켜 transcription의 개시를 억제

- Negative regulation
  - Lactose가 없는 경우, *lac* operon 유전자들은 발현이 억제됨
  - Lactose에 노출되면 *lac* operon이 유도됨
  - inducer 분자가 Lac repressor의 특정 부위에 결합하여 conformational change ⇒ operator가 repressor로부터 분리되고, *lac* operon의 유전자 발현이 가능해짐
- Positive regulation
  - Lactose가 glucose와 함께 존재하는 경우, lactose 및 다른 당들의 분해에 필요한 유전자 발현을 제한함

DNA, cAMP에 대한 결합
자리 존재

- Glucose의 영향은 glucose transporter의 coactivator인 cAMP와
  CRP (cAMP receptor protein)에 의해 이루어짐
- Glucose 없을 때: CRP-cAMP는 lac promoter 근처에 있는 자리
  에 결합, RNA 전사를 촉진
- Lactose가 없어 Lac repressor가 transcription을 억제하는 상황
  에서 CRP-cAMP는 lac operon에 영향 미치지 못함
- Glucose 존재 시 cAMP 합성이 억제되고 세포 밖으로의 유출이 촉
  진되어 DNA에 대한 CRP의 결합이 감소, lac operon의 발현이 감소

(A) Glucose high, cAMP low, lactose absent

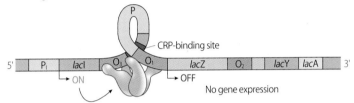

(B) Glucose low, cAMP high, lactose absent

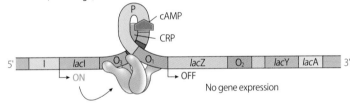

(C) Glucose high, cAMP low, lactose present

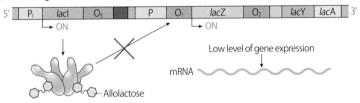

(D) Glucose low, cAMP high, lactose present

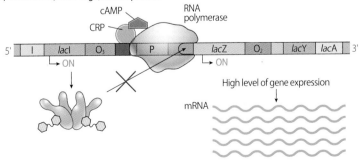

(2) Attenuation

- Trp operon: chorismate를 Trp로 전환시킬 때 필요한 5가지 효소들의 유전자를 포함
  - Trp이 풍부할 때, Trp가 Trp repressor에 결합하여 conformational change → repressor가 Trp operator에 결합하여 Trp operon의 발현을 억제

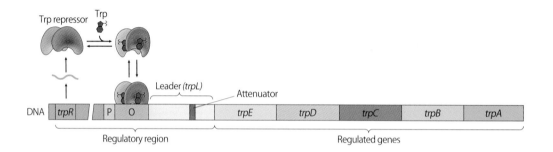

- Attenuation: transcription이 정상적으로 시작은 되지만, operon의 유전자들이 transcription 되기 전에 갑자기 정지되는 현상
  - 갓 생성된 RNA의 2차구조를 조정함으로써 transcription을 조절하는 세균의 조절 방식
- Trp operon의 attenuation
  - mRNA의 5' 말단에 있고, 첫 번째 유전자의 개시 코돈에 앞서 나타나는 162개의 nucleotide의 leader 부분에 존재하는 4개의 서열에 담겨 있는 신호를 이용함 → attenuator
  - Trp 농도가 높으면 ribosome은 서열 1을 빠르게 translation하고 서열 2에 진입하게 되고 서열 3이 합성되었을 때, 서열 3과 짝지을 수 없게 됨 → 서열 3과 서열 4가 짝지어 attenuator를 형성하게 되고 transcription이 정지됨
  - Trp 농도가 낮으면, tRNA^{Trp}가 부족하여 서열 1에 존재하는 2개의 Trp 코돈에서 정지하게 되고 서열 2는 서열 3이 합성될 때까지 자유로운 상태이므로 서열 2와 서열 3이 짝짓게 되면, transcription이 계속 일어남

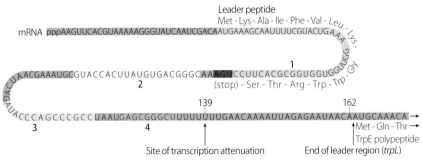

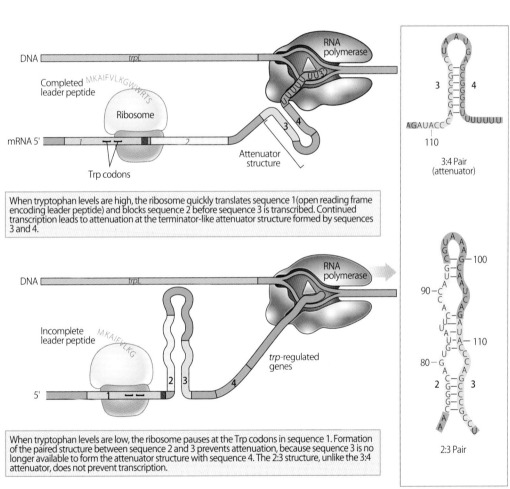

When tryptophan levels are high, the ribosome quickly translates sequence 1 (open reading frame encoding leader peptide) and blocks sequence 2 before sequence 3 is transcribed. Continued transcription leads to attenuation at the terminator-like attenuator structure formed by sequences 3 and 4.

When tryptophan levels are low, the ribosome pauses at the Trp codons in sequence 1. Formation of the paired structure between sequence 2 and 3 prevents attenuation, because sequence 3 is no longer available to form the attenuator structure with sequence 4. The 2:3 structure, unlike the 3:4 attenuator, does not prevent transcription.

3) 진핵생물에서 유전자 발현의 조절

(1) Chromatin remodeling

- Heterochromatin: 응축된 형태로 transcription이 되지 않음
- Euchromatin: 비교적 응축이 덜 된 형태
- Transcription이 활성화된 chromatin 부위와 heterochromatin 부위의 차이점
  - Nucleosome의 위치, histone 변이체의 존재, nucleosome의 변형
- Chromatin remodeling: chromatin의 transcription과 관련된 구조적 변화
- Nucleosome 위치의 변동
  - 효소 복합체 패밀리들이 ATP를 가수분해하며 nucleosome의 위치를 변동시킴

    SWI/SNF, ISWI, CHD, INO80 등

- Histone의 covalent modification
  - HAT (histone acetyltransferase): histone을 아세틸화하여 DNA에 대한 친화력을 감소시켜 histone이 DNA로부터 풀려나게 함 → transcription 촉진
  - HDAC (histone deacetylase): 아세틸화된 histone에서 아세틸을 제거 → transcription 억제

(2) RNA polymerase II와 promoter 결합에 필요한 요소

- Enhancer: RNA polymerase가 promoter에 결합하는데 관여하는 조절 서열
- 활성형 RNA polymerase II가 promoter에 성공적으로 결합하기 위해 필요한 단백질
  - Transcription activator: enhancer에 결합하여 transcription 촉진
  - Architectural regulator: DNA의 고리화를 촉진
  - Chromatin modification and remodeling protein: HAT 등
  - Coactivator
  - Basal transcriptional factor: 230p 참고

(3) RNA interference

- micro-RNA에 의한 유전자의 침묵
  - mRNA와 상호작용하여 mRNA의 분해, translation의 억제를 초래함

– stRNA (small temporal RNA), siRNA (small interfering RNA)
등이 있음

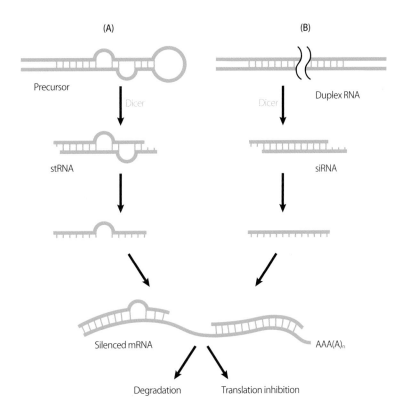

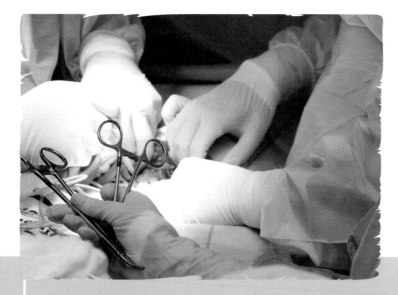

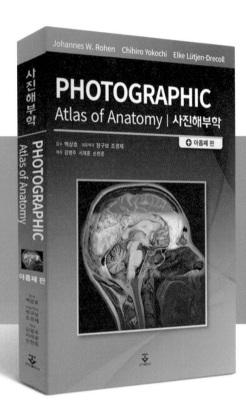